JN034522

新版 手形法小切手法講義

大隅健一郎 著

有斐閣ブックス

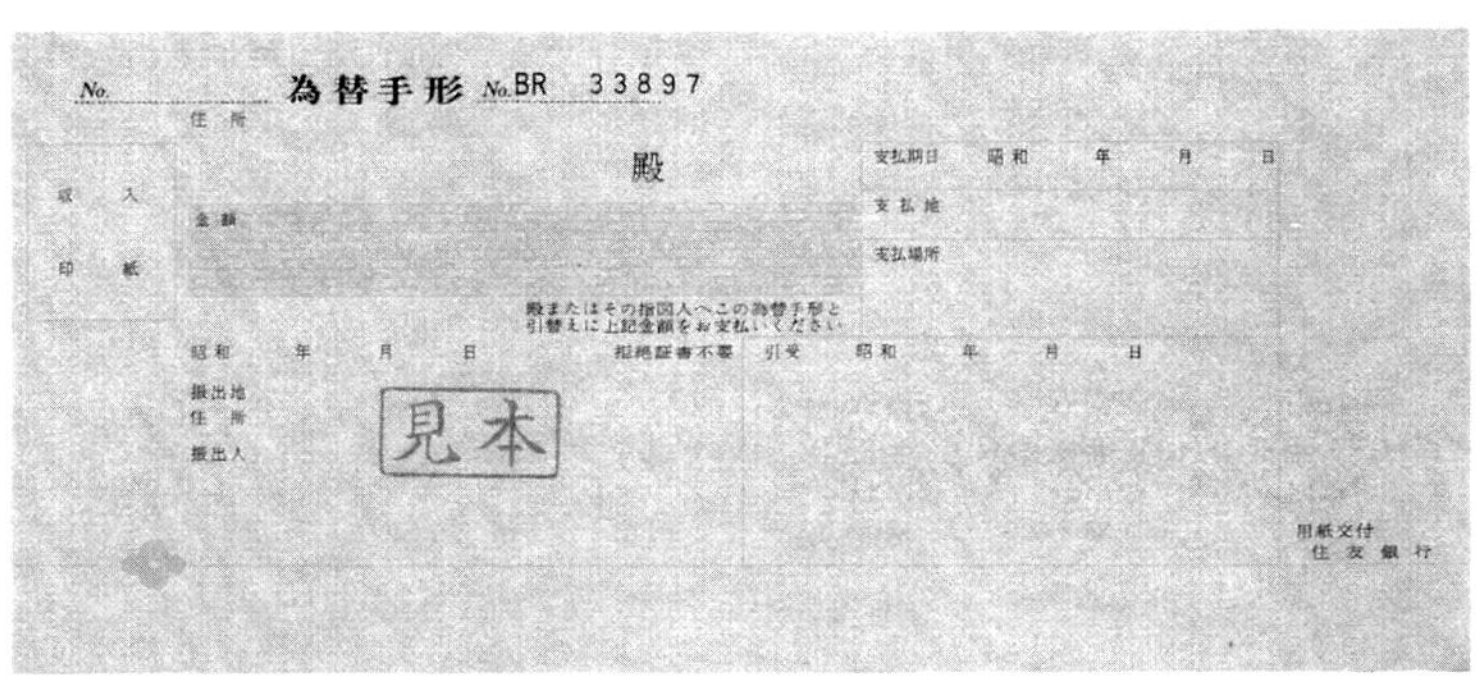
No.
為替手形 No.BR 33897
住所
殿
収入印紙
金額
支払期日 昭和 年 月 日
支払地
支払場所
殿またはその指図人へこの為替手形と引替えに上記金額をお支払いください
昭和 年 月 日
拒絶証書不要 引受 昭和 年 月 日
振出地
住所
振出人
見本
用紙交付 住友銀行

為替手形用紙の表面

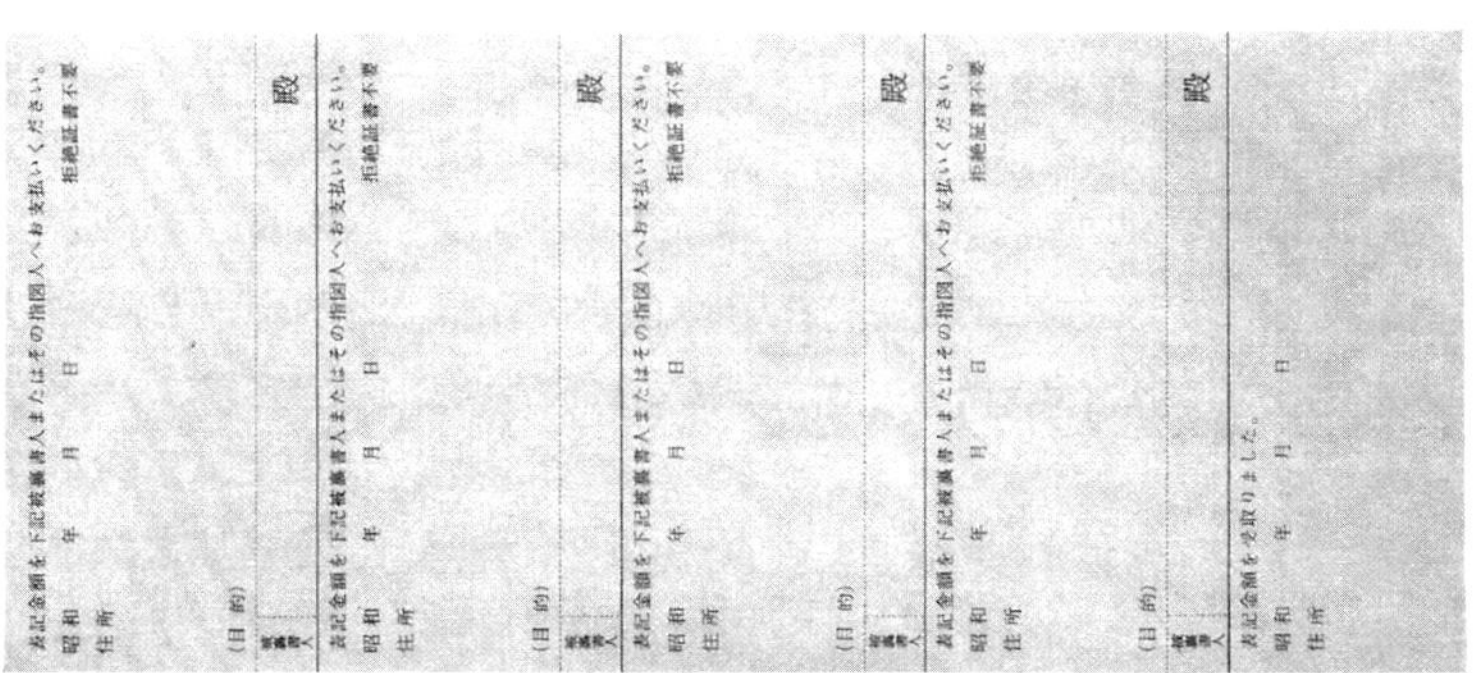
表記金額を下記被裏書人またはその指図人へお支払いください。 拒絶証書不要
昭和 年 月 日
住所
(目的)
被裏書人 殿

表記金額を下記被裏書人またはその指図人へお支払いください。 拒絶証書不要
昭和 年 月 日
住所
(目的)
被裏書人 殿

表記金額を下記被裏書人またはその指図人へお支払いください。 拒絶証書不要
昭和 年 月 日
住所
(目的)
被裏書人 殿

表記金額を下記被裏書人またはその指図人へお支払いください。 拒絶証書不要
昭和 年 月 日
住所
(目的)
被裏書人 殿

表記金額を受取りました。
昭和 年 月 日
住所

為替手形用紙の裏面

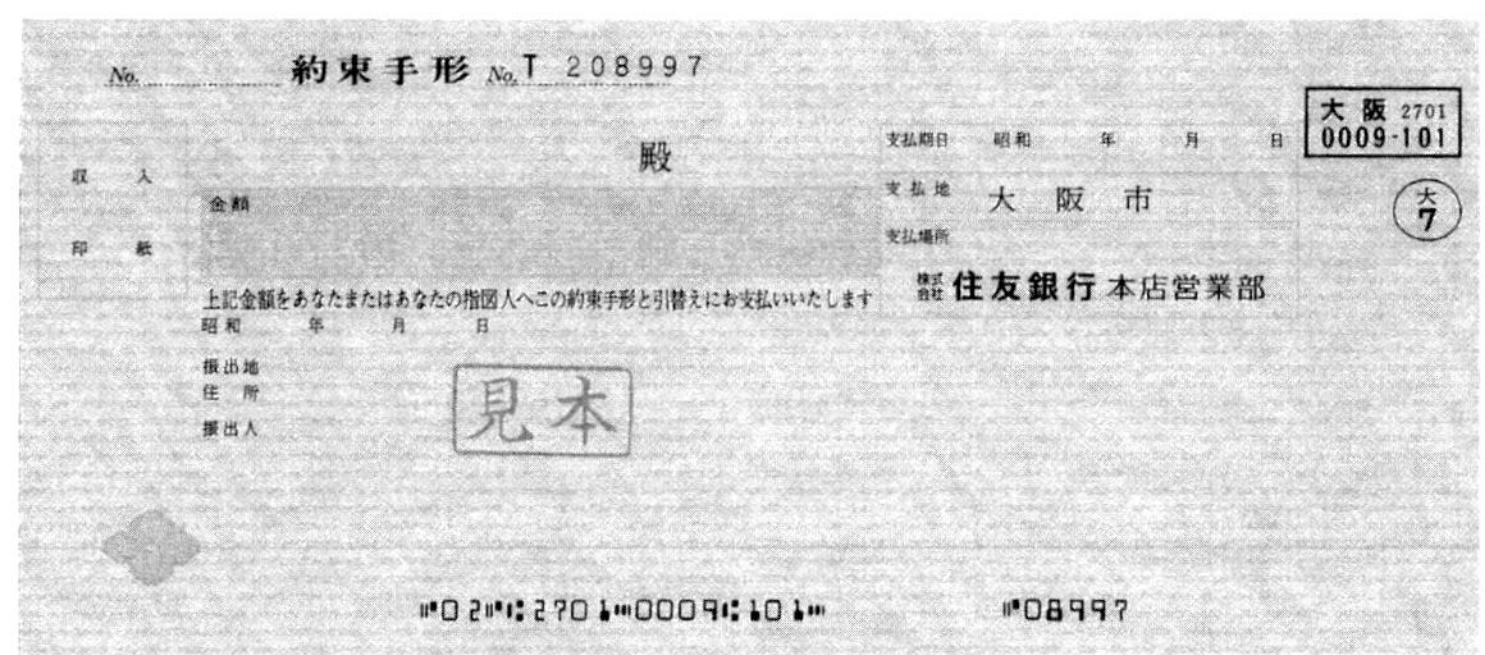
No.
約束手形 No.T 208997
大阪 2701
0009-101
大7
収入印紙
殿
金額
支払期日 昭和 年 月 日
支払地 大阪市
支払場所 株式会社 住友銀行 本店営業部
上記金額をあなたまたはあなたの指図人へこの約束手形と引替えにお支払いいたします
昭和 年 月 日
振出地
住所
振出人
見本

約束手形用紙の表面

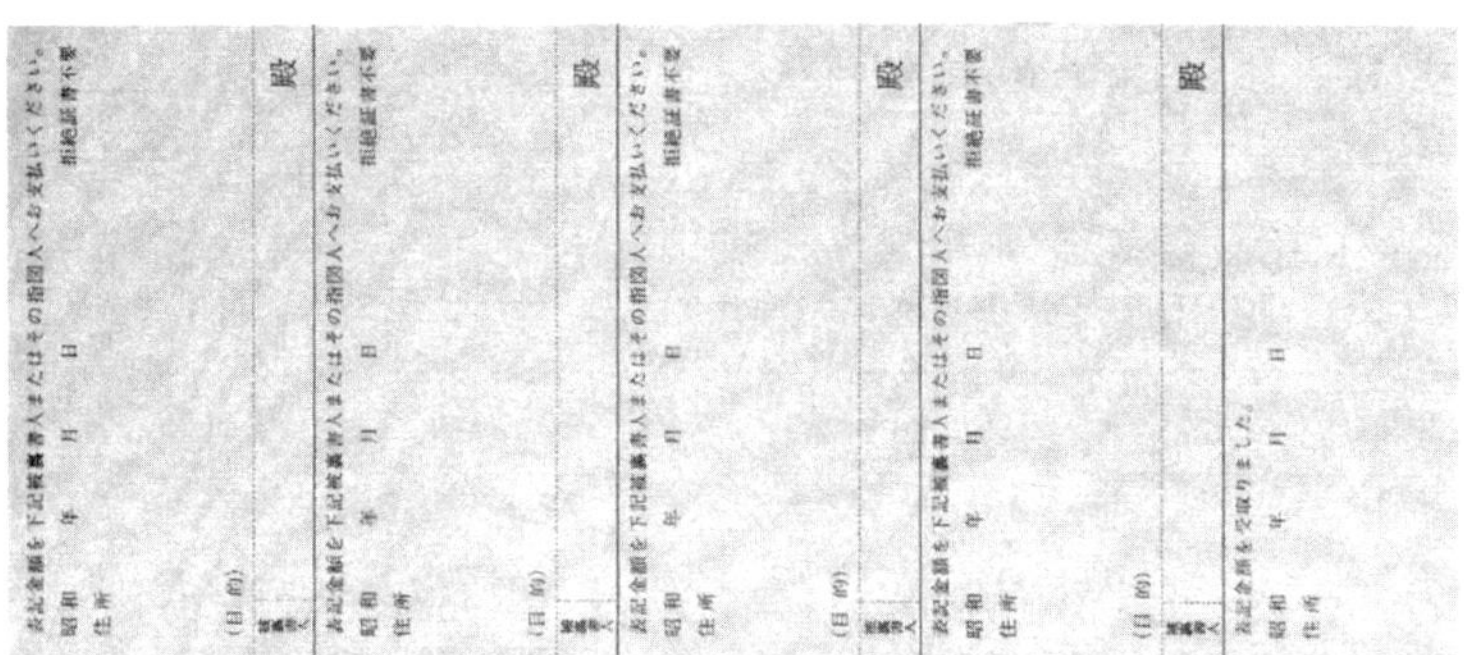

表記金額を下記被裏書人またはその指図人へお支払いください。　拒絶証書不要
昭和　年　月　日
住所
(目的)
被裏書人　　　　殿

表記金額を下記被裏書人またはその指図人へお支払いください。　拒絶証書不要
昭和　年　月　日
住所
(目的)
被裏書人　　　　殿

表記金額を下記被裏書人またはその指図人へお支払いください。　拒絶証書不要
昭和　年　月　日
住所
(目的)
被裏書人　　　　殿

表記金額を下記被裏書人またはその指図人へお支払いください。　拒絶証書不要
昭和　年　月　日
住所
(目的)
被裏書人　　　　殿

表記金額を受取りました。
昭和　年　月　日
住所

約束手形用紙の裏面

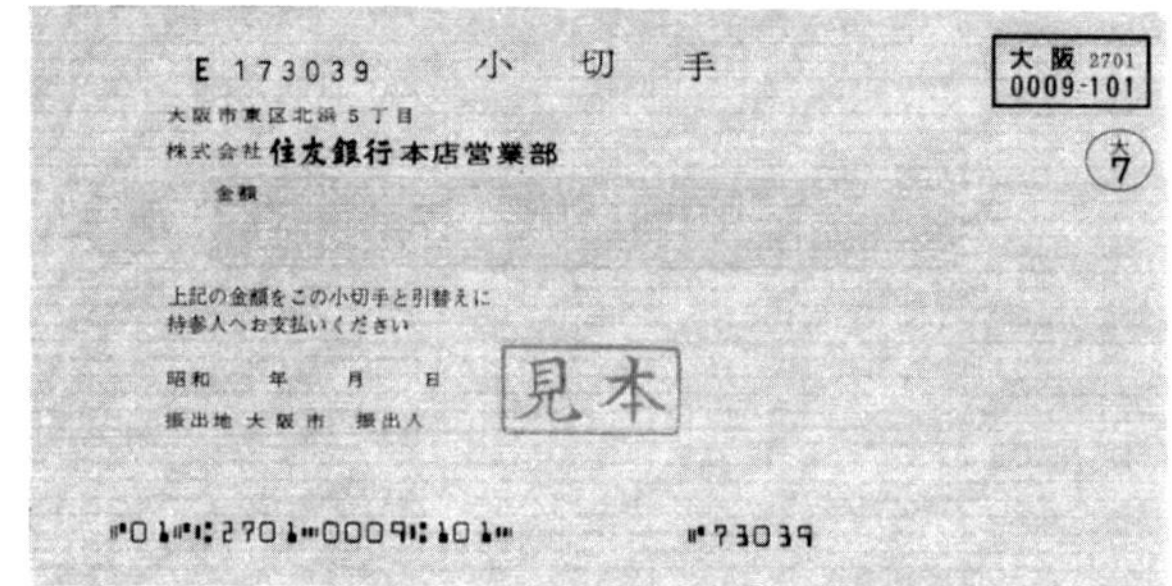

E 173039　小　切　手　　大阪 2701 0009-101

大阪市東区北浜5丁目
株式会社住友銀行本店営業部

金額

上記の金額をこの小切手と引替えに
持参人へお支払いください

昭和　年　月　日
振出地 大阪市　振出人

小切手用紙

はしがき

本書の旧版は、私の講義を聴く学生諸君の筆記の労を省くために、講義案を印刷に付したものである。したがって、もっぱら簡潔を旨としており、同書に多少のとるべきものがあるとすれば、それは簡潔なことであると思っていた。しかし、その後における判例・学説の発展にかんがみると、簡潔であるがために、当然触れるべき問題の多くを逸していることが欠陥として目立つようになってきた。加うるに、若干の点で私の考えの変わったところをも生じてきた。そこで、簡潔という特色はできるだけ保持しながら、右の欠陥を補正するとともに、主要な判例をも引用することとして、旧版に相当広範な改訂を施したのが本書である。手形法・小切手法については、別掲のとおりきわめて多数の著書が公にされているが、それらに伍して本書に多少の存在意義が認められるならば、望外の幸いである。本書に参考資料として、同行専用の手形用紙および小切手用紙（見本）を掲載することを許諾してくださった住友銀行に対して、厚くお礼を申しあげる。また、この度の改版についてお世話になった有斐閣の奥村邦男君に感謝の意を表する。

一九八八年一二月

大 隅 健 一 郎

目　次

第二編　小切手法……一七九

凡　例

本書において引用している法令および判例は、つぎの例によって略記している。

一　法　令

商　　商　法
手　　手形法
小　　小切手法
民　　民　法
民施　　民法施行法
民訴　　民事訴訟法
更　　会社更生法
破　　破産法
刑　　刑　法
昭和九年以前の旧商　　昭和九年一月一日現行手形法および小切手法が施行されるまで行われていた商法
独民　　西ドイツ民法

二　判　例

大判　　大審院判決
最判　　最高裁判所判決
民録　　大審院民事判決録
民集　　大審院および最高裁判所各民事判例集
刑集　　同上刑事判例集
新聞　　法律新聞
判時　　判例時報

（例示）

大判大四・一〇・三〇民録二一—一七九九
↓大審院大正四年一〇月三〇日判決、大審院民事判決録二一輯一七九九頁掲載

最判昭四一・九・一三民集二〇—七—一三五九
↓最高裁判所昭和四一年九月一三日判決、最高裁判所民事判例集二〇巻七号一三五九頁掲載

第一編　手形法

第一章　序　　論

第一節　緒　　説

一　手　　形

手形は、一言にしていえば、一定の金額の支払を目的とする有価証券である。これに、或る人（振出人）が、或る人（支払人）に宛てて、或る人（受取人その他証券の正当な所持人）に対し一定の金額の支払をすることを委託する証券（支払委託証券）である為替手形と、或る人（振出人）が、或る人（受取人その他証券の正当な所持人）に対して一定の金額の支払をすることを約束する証券（支払約束証券）である約束手形とがある。小切手も一種の支払委託証券であって、その法律的形式は為替手形と酷似しており（沿革および経済的機能は異なるが）、立法上もこれを手形の一種として取扱うものがある。わが商法もかつてはかかる主義をとっていたが（昭和九年以前の旧商手形編参照）、現在では手形法のほかに小切手法が設けられ、手形と小切手とは区別して取扱われているから、小切手は手形に属しない。

二　手　形　法

手形に関する法規の総体を手形法という。かかる法規はひとり私法のみにとどまらず、刑法（刑一六二条・一六三

統一為替手形用紙の表面（雛型）

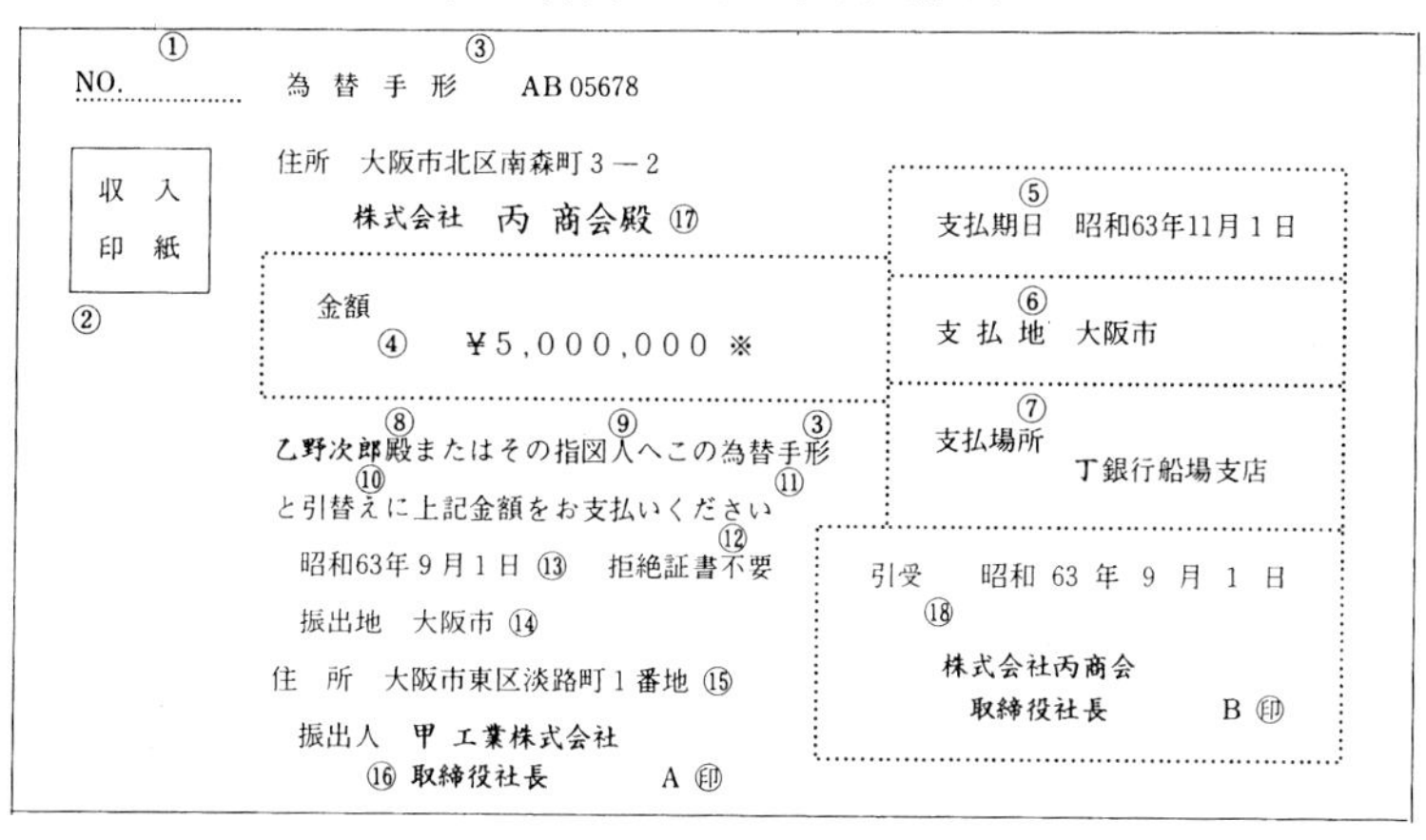
①
NO.　　為替手形　③　AB 05678

収入
印紙
②

住所　大阪市北区南森町３－２
株式会社　丙商会殿　⑰

金額
④　¥5,000,000 ※

⑧乙野次郎殿またはその⑨指図人へこの為替手形③
と引替えに⑩上記金額をお支払いください⑪

昭和63年９月１日　⑬　拒絶証書不要⑫

振出地　大阪市　⑭

住　所　大阪市東区淡路町１番地　⑮

振出人　甲工業株式会社
⑯　取締役社長　　A ㊞

⑤
支払期日　昭和63年11月１日

⑥
支払地　大阪市

⑦
支払場所
丁銀行船場支店

引受　昭和63年９月１日
⑱
株式会社丙商会
取締役社長　　B ㊞

統一手形用紙

法律上は手形の作成に用いる用紙には別段の制限はないが、銀行を支払場所とする為替手形または約束手形を振出して、当該銀行に支払事務を担当してもらうためには、その銀行の交付した手形用紙を使用することを要し、そうでなければ銀行に手形の支払をしてもらうことはできない。

その手形用紙は全国銀行協会連合会の制定した規格様式によるものとされ、これを統一手形用紙という。この手形用紙は、銀行からその当座勘定取引先に交付され、それ以外の者には交付されないと同時に、銀行は銀行の交付した手形用紙を用いない手形については支払をしないことになっている。したがって、それ以外の手形用紙を用いた手形も手形法上は有効な手形であるが、銀行がその支払をしないから、実際上はそのような手形が流通することはきわめて少ない。この統一手形用紙制度は、正常な銀行取引にもとづかないで振出される手形の流通を排除することにより、不渡手形の発生を防止し、手形取引の正常化をはかる目的に出たものである。

統一約束手形用紙の表面（雛型）

NO.①…………　約　束　手　形③　A 02345

収　入
印　紙
②

乙　工業株式会社殿

金額
④　¥5,000,000 ※

支払期日⑤　昭和63年10月1日

支 払 地⑥　東京都中央区

支払場所⑦
丙銀行銀座支店

上記金額をあなたまたはあなたの指図人⑨へこの約束手形③と引替え⑩にお支払いいたします⑪

昭和63年8月1日 ⑬

振出地　東京都中央区 ⑭

住　所　東京都中央区茅場町3番地 ⑮

振出人　甲　商事株式会社
⑯ 取締役社長　　A ㊞

統一為替手形および約束手形用紙の裏面（雛型）

表記金額を下記被裏書人またはその指図人へお支払いください。
昭和　年　月　日　拒絶証書不要
住所
（目的）
被裏書人　殿

表記金額を下記被裏書人またはその指図人へお支払いください。
昭和　年　月　日　拒絶証書不要
住所
（目的）
被裏書人　殿

表記金額を下記被裏書人またはその指図人へお支払いください。
昭和　年　月　日　拒絶証書不要
住所
（目的）
被裏書人　殿

表記金額を下記被裏書人またはその指図人へお支払いください。
昭和　年　月　日　拒絶証書不要
住所
（目的）
被裏書人　殿

表記金額を受取りました。
昭和　年　月　日
住所

備　考

① 手形番号
② 収入印紙の貼用（印紙税法二条・別表第一第三号）
③ 手形文句（手一条一号・七五条一号）
④ 手形金額（手一条二号・七五条二号）
⑤ 満期または支払期日（手一条四号・七五条三号）
⑥ 支払地（手一条五号・七五条四号）
⑦ 第三者方払の記載または第三者方払文句
⑧ 受取人（手一条六号・七五条五号）
⑨ 指図文句
⑩ 受戻文句
⑪ 支払委託文句（為替手形、手一条二号）・支払約束文句（約束手形、手七五条二号）
⑫ 拒絶証書作成免除文句（約束手形にはない）
⑬ 振出日附（手一条七号・七五条六号）
⑭ 振出地（手一条七号・七五条六号）
⑮ 振出人の肩書地
⑯ 振出人の署名または記名捺印（手一条八号・七五条七号）
⑰ 支払人（手一条三号、約束手形にはない）
⑱ 引受欄（約束手形にはない）

条）・行政法（印紙税法二条・別表第一第三号）・各種手続法（民訴第五編ノ二「手形訴訟及小切手訴訟ニ関スル特則」その他一九六条二項・四三一条二項・五一二条ノ二・七六四条以下、民事執行法一三六条・一三八条、破五七条・七三条等）・国際私法（いわゆる国際手形法、手八八条以下）等の諸法域にまたがって存在するが、そのうち私法法規が量的にも質的にもその中核をなし、かつ一個独立の体系をなしているから、狭義においてはこれのみを手形法というのが普通である。そして狭義の手形法の中には、手形および手形取引に特有なものと、一般民商法の規定であってこれに適用されるものとがある。前者を固有の手形法とよぶのに対して、後者を民事手形法という。固有の手形法は主として「手形法」という独立の法典（昭和七年法二〇号、同九年一月一日より施行）に収められており、これを形式的意義における手形法という。

第二節　手形の経済的意義

一　手形の経済的機能

手形が現代の経済社会において営む作用は多種多様であって、これを全部的に把握することは困難であるが、そのうちとくに典型的なものをあげれば、つぎのとおりである。

(一)　送金の用具としての作用

歴史的には手形はまず送金の用具として生まれた。手形によって商人は現金輸送の不便と危険とを免れることができる。例えば、甲地のAが乙地のBに対して売買代金の支払等のため送金する必要がある場合に、甲地の銀行Cに現金を払込んで、Cから乙地におけるCの支店または取引先を支払人とする為替手形の振出を受け、これを乙地のＢに送付するならば、Ｂが乙地においてその手形の支払を受けることにより、現金の輸送が行われたのと同一の結果をおさめることができる。かようにして手形により金銭の支払における場所的間隔が克服せられる。

もっとも手形以外に簡便な送金方法、例えば小切手・郵便為替・電信為替・当座振込等のそなわっている現今の国内取引にあっては、この作用は昔日のような重要性をもたないが、国際取引における貸借は今日でもなお依然として手形がその主要な決済手段をなしている。この場合、手形は当然需要供給の理によって支配せられ、いわゆる為替相場なるものを生ずる。為替相場は一国における外国宛為替手形の相場にほかならない。すなわち、その国の輸入貿易がさかんなときは外国宛手形の需要が多く、その価格は騰貴して手形金額を超え、為替相場はいわゆる逆調となり、反対に輸出貿易がさかんなときは外国宛手形の価格は下落して、為替相場は順調となるのである。ただし、かかる手形金額と手形の価格との差額は、特別の事情がないかぎり、現金輸送に必要な費用（正貨輸送点）を超えないのが原則である。もしこれを超えるならば、手形の需要者はむしろ現金輸送の方法を選ぶからである。なお右は正貨輸送の自由を前提としてのことであり、また諸国において外国為替の国家管理が行われているような場合には、為替相場は単に右の理論のみによって決定せられないことはいうまでもない。

右の送金の用具としては多くは為替手形が用いられるが、約束手形も同一目的に利用することができ、また手形の振出のみならず裏書もまたこの目的に利用せられうる。

㈡　支払または取立の用具としての作用

上述の送金の作用は、債務者がその債務を弁済するため債権者に送金する場合を考えるならば、手形の支払の用具としての機能を示すものにほかならないが、ことに小切手は支払の用具であることがその本来の使命である。すなわち、日常頻繁に金銭の支払をなす必要のある者があらかじめ銀行等に預金をしておき、現実に支払の必要を生じた場合に、その銀行等を支払人とする小切手を振出して、自己の預金から支払をさせるために用いられる。これにより現金による支払の危険と手数とが省かれる。

また、手形は債権取立の用具としても用いられる。例えば、甲地の売主Aが乙地の買主Bに対する売買代金債権を取立てようとする場合に、AがBを支払人とする為替手形を振出して、それを甲地の銀行で割引いてもらうならば、Aは直ちに債権の取立をしたのと同じ結果をおさめることができ、銀行がその手形を乙地の支店または取引先に送ってBから支払を受けるときは、これによりAB間の債権債務の関係は終了することになる。いわゆる荷為替手形の利用は、その典型的な事例である。

㈢　信用の用具としての作用

現代は信用経済の時代であるといわれるが、手形は商人がその信用を利用するための不可欠の手段として、種々の形式で利用される。卸売商から商品の供給を受けた小売商が、その商品の小売代金の回収期まで買入代金を支払うことができない場合に、回収期を満期とする約束手形を振出して卸売商に交付するがごときは、その例である。これにより、小売商は代金回収期まで自己の信用を利用することができるし、卸売商は銀行でその手形の割引をしてもらうことにより、直ちに代金額を取得して後の取引を準備することができるのであって、資本の回転流通が著しく円滑化される。加うるに、かような商業手形（商取引にもとづいて振出された手形）の割引は銀行にとっても短期の投資手段として、銀行業務の重要な部門をなしている。かくて手形により金銭の支払における時間的間隔が克服される。また、銀行が貸付をする際借主から借用証文に代えて弁済期を支払期日とする約束手形を徴し（貸付手形）、或いは将来発生することあるべき債務の履行担保のため、例えば当座貸越契約における根抵当としてまたは会社の使用人が負担することあるべき損害賠償債務の担保のために約束手形をとっておく（担保手形または供託手形）など、手形を債権担保のために利用する場合、自己の信用を利用させるために他人の計算において自己の名をもって手形を振出す場合（融通手形または好意手形）、既存の手形の支払を延期する目的で満期を変更した新手形を振出す場合（延期手形）等も、手形が信用の具として利用される事例にほかならない。

手形が信用の用具として利用されるのは多くは約束手形であるが、為替手形もまたこの目的に利用せられうる。例えば、債務者が債権担保のために債権者の振出す手形に引受をなすがごときである。

二　手形制度の濫用

手形は上述のような経済的機能を営むものであるから、私経済的にも国民経済的にも現代の経済社会にとって不可欠の制度であるが、しかし他面において、しばしばそれが誤用濫用される弊害のあることも否定できない。例えば、⑴手形債務の抽象性を利用して、賭博債権や暴利行為による債権のような公序良俗または法の禁止に反する行為にもとづく債権を隠蔽し、⑵或いは支払に必要な資金の手当てがないのにかかわらず為替手形を振出して、手形所持人に損害を加えたり、或いは⑶仮設人を支払人とする手形（虚無手形 Kellerwechsel）を振出しまたは無資力者が相互に相手方を支払人とする手形を振出しこれに引受もしくは裏書をして（手形騎乗 Wechselreiterei 騎乗手形 Reitwechsel）、不当な信用の濫用をなすがごときである。さらに、⑷奸悪な債務者が、ことさら要件不備の手形を交付し、後になってみずから要件の不備を理由としてその支払を拒むような場合も少なくない。しかしながら、かように利便の反面に多少の弊害を伴うことはすべての人間的制度にとって免れがたいところであって、このゆえに手形制度をもって不道徳な制度であるとし、これを否定しようとするがごときことは到底是認できないのである。

第三節　手形の歴史

わが国においても鎌倉時代以来一種の手形が行われていたが（鎌倉時代の替銭（かえせん）、室町時代の割符（さいふ）、徳川時代の為替手形・預（あずかり）手形・振（ふり）手形）、現在の手形制度は、いうまでもなく、他の法律制度とともに明治維新後外国から輸入されたものである。

ヨーロッパにおける手形の起源については種々の学説があるが、大体において一二世紀頃のイタリアで発生したものと信ぜられている。すなわち、当時商人が現金を他地に輸送しようとする場合には、自己所在の地において両替商にその地の貨幣を払込み、両替商から右の金銭を受領した旨およびこれを目的地においてその地の貨幣をもって支払うべき旨を約束した証書の交付を受けたのであって、これが手形の原型をなすものである。それゆえ、手形の原型は一種の他地払の約束手形であって、これにより商人は送金と同時に両替の目的を達したのである。今日欧州諸国の手形または為替手形なる語（Wechsel, lettre de change, bill of exchange）が両替を意味するのはこれに起因する。当時における金銭輸送の危険・各国における金銭輸出の禁止・貨幣の流通区域の狭小等の事情が、かかる制度の発生を促したのである。そして為替手形は、右の約束手形の振出人が支払地において支払をなすべき者に宛てた支払委託書（lettera di pagamento）から発生したものと信ぜられている。支払委託書は初めは単に約束手形において引受けられた義務の履行手段として、約束手形とともに送金人に交付せられ、送金人から支払人に差出されたが、後には支払委託書のみが独立して効力を有するようになった。これがすなわち為替手形である。約束手形は寺院法により暴利行為の方法と認められ、その使用を排斥せられたのに反して、為替手形にはこのことがなかったため、その利用はかえって約束手形を圧倒するに至った。

中世においては定期的に大市場が開かれ、各地の商人がこれに集って取引をしたから、手形もまたかような市場を支払地とするものが多く、後には商品市場のほかに手形の交換決済のための手形市場をも生ずるに至った。いわゆる市場手形（Messwechsel, lettre de foire）とは、この市場を支払地とし市日を満期日とする手形をいう。かの手形訴訟・引受・拒絶証書・参加・保証等の手形上の諸制度は、いずれもこの時代の産物である。当時の手形市場としては、リオン、ブザンソン、ブルゴーニュ、ピアツェンツァ等が著名である。

市場手形の時代には手形は両替商の独占物であったが、これを両替商の手から解放し、一般商人の共有物たらしめたものは裏書の制度である。裏書は一六世紀の頃まずイタリアで、ついでフランスで起こったのであって、裏書の名称は支払受領者の指定を手形の裏面に（en dos, in dorso）したフランスの慣行から出ている。裏書制度の発達とともに手形市場も廃滅に帰した。裏書は初めは取立委任の形式にすぎなかったが、後にはこれを利用して手形上の権利の完全な譲渡をするようになったのである。裏書に特徴的な裏書人の担保義務の負担・抗弁制限の制度は、一七世紀から一八世紀の間において慣習法的に形成されたものである。

第四節　手形法の歴史および諸国手形法

一　手形法の沿革

手形は本来慣習の産物であり、初めはもっぱら慣習法によって規律されていた。成文の手形法の発生の時期は明らかでないが、すでに一六世紀頃において商人団体の規約または都市の条例として規定せられたものが少なくなく、それが近代的統一国家の成立とともにその国家的法典の中に採入れられるに至ったのである。すなわち、国家的商法の嚆矢である一六七三年のフランスの商事条例（Ordonnance sur le commerce）はその第五章および第六章で手形について規定し、一八〇七年のフランス商法（Code de commerce）もまたこれを基礎として制定せられた。一七世紀以来多数の地方的手形法の行われていたドイツでも、一八四七年になって各邦に共通な普通ドイツ手形条例（Allgemeine Deutsche Wechselordnung）が成立し、一八七一年ドイツ帝国の成立とともに帝国法（Reichsgesetz）として施行された。またイギリスでは、一八八二年に従来の慣習法・特別法・判例法等を蒐集整理して成った手形法（Bills of Exchange Act）が制定された。アメリカ合衆国では一八九六年の流通証券法（Negociable Instruments Law）がすべての州によって採用されていたが、第二次大戦後の一九五二年になって統一商法典（Uniform Commercial Code）が作られ、それが各州において採用されている。この統一商法典は、その第三編「商業証券」において為替手形・約束手形・小切手および預金証券につき規定している。

二　手形法統一運動

従来諸国の手形法は、右のフランス、ドイツ、イギリスのうちいずれかの国の手形法にその範を採っていた。例えばベルギー、オランダ、スペイン、ギリシヤ、ラテンアメリカ諸国等は仏法系に、オーストリア、スイス、イタリア、スカンヂナビア諸国、日本等は独法系に、アメリカ合衆国およびカナダ、インド、オーストラリア等は英法系に属したが、なおこのほかにロシア、ポーランド、チェコ・スロヴァキア、トルコ、中華民国等一九一二年のヘーグの統一規則を模範としているものもあった。

しかしながら、国際取引の必須的要具である手形に関する法律がかように国により区々たることは、取引上はなはだ不便といわなければならない。それゆえ、一九世紀の後半以来手形法統一の運動が続けられ、国際法学会および国際法協会の努力によりしばしば各地で会議が開かれた。そして遂に一九一〇年および一九一二年の両度、ドイツおよびイタリアの勧誘に応じてオランダ政府によりヘーグに招請された手形法統一会議において、八〇箇条の「為替手形及び約束手形統一規則」と三一箇条の「手形法統一に関する条約」が議決せられ、三〇箇国の代表者の署名を得た。しかし、この条約には英米二国が加盟を留保しており、わが国もまたこれに調印しなかった。

一九一四年勃発した第一次世界大戦は右の手形法統一運動を一時頓挫せしめたが、平和克復とともにその運動は再びとりあげられた。すなわち、一九二〇年のブリュッセルの財政会議を機会に、国際連盟経済委員会が中心となり、国際商業会議所およびローマ私法統一国際協会の援助のもとに統一事業を進めることとなった。そして一九二八年には連盟理事会の招集にかかる法律専門委員会により新統一手形法の条約案が作成せられ、ついで一九三〇年五月から六月にわたってスイスのジュネーヴに手形法統一会議が開かれ、三一箇国の代表委員のもとにつぎの三つの条約が成立した。

(1)　為替手形及び約束手形に関し統一法を制定する条約並びに第一及び第二附属書　本条約は各締約国が第一附属書の定める統一法（七八箇条）を各自の領域内に施行することを約したもので、第二附属書は条約に対する留保事項を規定している。

(2)　為替手形及び約束手形に関し法律の或る牴触を解決するための条約

(3)　為替手形及び約束手形についての印紙法に関する条約　本条約は、手形行為の効力またはこれから生ずる権利の行使を、印紙法の遵守にかからしめないことを約したものである。

なお小切手に関しても、一九三一年二月から三月にわたって開かれた統一会議において、「小切手に関し統一法を制定する条約並びに第一及び第二附属書」ほか二箇の条約が成立した。

右の手形法統一に関する諸条約は、連盟国または非連盟国七箇国（内三箇国は常任理事国）の批准または加盟後九〇日にしてその効力を生ずるものとされていたが、日本、イタリア、ドイツ、フランスその他多数諸国の批准により、一九三四年（昭和九年）一月一日からその効力を生じている。

上述のようにジュネーヴにおける条約により統一手形法・小切手法の成立をみたが、この条約にはアメリカ合衆国は全く参加せず、イギリス、オーストラリアなども印紙条約に加盟するにとどまった。その結果、現在も世界の手形法および小切手法は統一法系と英米法系とに二分されており、そのことが国際取引の決済にとって大きな不便をもたらしている。そこで現在、国際連合国際商取引法委員会（United Nations Commission on International Trade Law＝UNCITRAL）において、もっぱら国際的支払取引において利用されるべき手形および小切手に適用される新しい統一手形法・小切手法草案の作成作業が進められている。

三　日本手形法

わが国の手形法は、明治一五年太政官布告第一七号「為替手形約束手形条例」にはじまり、その後明治二三年法律第三二号旧商法第一編第一二章「手形及ヒ小切手」（明治二六年七月一日施行）、明治三二年法律第四八号商法第四編「手形」の規定をへて、昭和七年法律第二〇号「手形法」に至った。これが現行手形法である。本法は前述の手形法統一条約にもとづいて制定されたもので、条約の第一附属書の翻訳に若干の附則を加えたものである。それは九四箇条より成る単行法で、昭和九年一月一日から小切手法とともに施行せられた（昭和八年勅令三一五号、手七九条）。なお附属法令として拒絶証書令（昭和八年勅令三一六号、手八四条）、手形交換所の指定に関する件（昭和八年司法省令三八号、手八三条）があり、また訴訟法に属するが、民事訴訟法第五編ノ二「手形訴訟及小切手訴訟ニ関スル特則」（民訴四四四条以下）の規定がある。

第五節　手形法の特色

手形法の特色といってもその多くは商法一般の特色と共通であって、相対的なものである。ただここでは企業活動の基礎に関する法の特色がとくに尖鋭に現われていることが注意せられる。

(一)　技術的性質

手形は最も合理的に技術化された金銭支払の手段である。そこではすべての制度が、債権が期日に確実に支払われ、しかもその期日前にはできるだけ流通性を発揮するよう、支払の確実と流通の円滑とを目標として組織化された統一的な機構をなしている。例えば、手形の抽象性・定型性・善意取得の保護・人的抗弁の切断・善意弁済者の保護・手形保証・遡求制度等のごときは、いずれもこの目的に奉仕するものである。それはあたかも精緻な機械にも比すべきものであって、これを規律する手形法もまた必然的に濃厚な技術的性質を帯びざるをえない。そして技術的であることは、専門的知識なくしては容易に理解しがたいことを意味する。それゆえ、手形関係は常識をもって推理判断することはできなく、そのためには特別の知識を必要とする。技術的なことはまた比較的倫理性の稀薄なことをも意味する。もちろん手形も賭博債権や暴利行為の隠蔽に利用されるが、しかしかかる場合にも倫理的判断の対象となるのは手形自体ではなくして、手形の利用によって達成しようとする目的である。この点で手形法は親族法・相続法・土地法・刑法などの倫理的色彩の強い法律と趣を異にし、合理主義によって支配せられる結果、かえって問題の理解と解決とが容易であるともいえる。

(二)　全一的性質

手形が、上述のごとく、金銭支払の確実と権利流通の円滑なる目的に向って組織された統一的な機構である結果として、これを規律する手形法は他の法域に比して稀に見る統一性を示している。その統一性は、内面的には各個の規定が脈絡の乏しい単なる集合ではなくして、有機的かつ発展的構造において連関する不可分的な全体をなしていることに現われ、また外部的には手形法がそれ自体一つの自足完了的な法域を構成していることに現われている。商法典を有する国にあっても手形法が独立の単行法として制定されることが多いのは、手形法のかかる全一性にもとづいている。それゆえ、手形法に規定のない事項についても、直ちに一般法たる民法の規定を適用することなく、まず手形法の理念にかんがみその内部において何らかの潜在的規範の発見に努めなければならない。

㈢　強行法的性質

手形法の大部分は債権法的規定であって、本来ならば比較的契約自由の原則の支配することの多い分野なのであるが、しかし手形は特定人間の債権関係の決済を目的とするのみではなく、貨幣のごとく不特定多数人間を転輾流通するものであるから（手形は商人の紙幣であるといわれる）、その法律関係は厳格に強行法をもって規律されている。そうでなければ、一般公衆は安んじて手形を取得することができず、その取引の円滑は期せられないからである。すなわち、手形の生滅発展の過程はすべて法律により厳格に規律され、当事者の私的自治の働く余地はきわめて乏しいのである。手形の定型性・要式性・厳格性もこれにもとづいているものといえる。このことと関連して、当然に手形法の成文法化的傾向をも理解することができる。

㈣　世界的性質

手形法が技術的で倫理的色彩に乏しいこと、手形が実際上国際貸借の決済の用具として国際間に流通することが、手形法に世界的統一の可能性を与える。法が民族精神の発現であるとしても、手形のような合理主義と合目的主義に支えられた純然たる法技術は、あたかも自然科学の原理に国境がないのと同様に、各民族と国家とを超えて同一であることをうる。この理論的基礎に加えて、手形が国際取引の用具たることにもとづく実際上の強い要求が働いて、現に見るような手形法の国際的統一が成就されたのである。

第二章　総　　論

第一節　手形の法律的性質

為替手形は、振出人が支払人に宛てて、受取人その他手形の正当な所持人に対し一定の金額の支払をなすべきことを委託する証券であり、また約束手形は、振出人が受取人その他手形の正当な所持人に対して、一定の金額を支払うべきことを約する証券である。いまこれらの手形に共通な法律上の性質を述べれば、つぎのとおりである。

(一)　有価証券

手形は有価証券である。有価証券とは、財産価値ある私権を表彰する証券であって、その権利の移転または行使に証券の占有を必要とするものをいう、とするのが通説である。有価証券はその名の示すがごとく財産価値を有する証券であるが、その価値は証券の記載内容にもとづくものであり、かつその記載内容は一定の権利関係（引受のない為替手形または小切手におけるような権利といえない一定の法律上の地位でもよい）でなければならない。そしてかような権利と証券との間に密接な法的連関が存し、いわゆる権利の証券への化体なる関係の認められることが、有価証券の特質である。この権利と証券との間の法的連関は、その権利の発生・移転・行使の全部または一部につき証券を必要とするという形式で現われるが、すべての有価証券に共通な点は、証券上の権利の移転に証券の引渡を必要とすることである。それゆえ有価証券とは、財産価値ある私権を表彰する証券で、その権利の移転に証券の引渡を要するものと解するのが適当である。これに対して、権利の移転に証券の引渡を要するのは、権利の行使に証券を必要とすることを論理的前提とするからであるとの見地に立ち、権利の移転および行使に証券を要するものが有価証券であるとする見解がある。しかし、記名株券のように証券なくして権利を行使しうる有価証券が存するのみならず、本来有価証券制度の目的が権利の流通の円滑と確実をはかるにあることからいって、この見解に賛成することはできない。

上述のとおり有価証券にあっては、無形の権利が有形の証券に結合され、その権利と証券とが法的に連関せしめられているのであるが、しかしこの権利と証券との連関は各種の有価証券につきその程度を異にする。手形はその連関の最も緊密な有価証券であって、ここでは、(1)証券の作成なくしては手形上の権利は発生せず、(2)手形上の権利の移転には証券自体の移転を必要とし、また(3)手形上の権利を行使するにも証券を必要とするのであって、手形はいわゆる完全有価証券である。もっとも権利と証券とが絶対的に運命をともにするわけではなく、(1)手形上の権利の消滅には必ずしも証券自体の滅却を必要とせず、弁済・相殺・混同・免除・時効等の一般的権利消滅原因によるほか、権利保全手続の欠缺（手四四条）・公示催告手続による除権判決（民訴七八四条）等によっても消滅する。ただ手形に記載した支払や時効による消滅のように権利の消滅が手形の記載自体から知りうる場合および除権判決による消滅の場合のほかは、証券を滅却しないかぎり手形上の権利はなお表見的に存在し、債務者はその善意の取得者に対して再び支払をすることを要するから、実際上は、手形上の権利が消滅したときは証券を滅却しておく必要がある。また右と反対に、(2)証券の滅却も必ずしも常に手形上の権利の消滅をきたすものではない。手形が盗取されまたは紛失もしくは滅失したときは、その手形の所持人は公示催告手続による除権判決を得て（民施五七条、民訴七七七条以下)、再びその権利を行使することをうるのであって、少なくともこの範囲においては証券の滅失が権利の消滅をきたすものとはいえないのである。

(二) 金銭債権証券

手形は金銭債権証券である。手形は一定の金額の支払を目的とする有価証券であって、債権的証券でありかつ金銭証券である。債権的証券である点で社員権を表彰する株券と異なり、金銭証券である点で物の給付請求権を表彰する貨物引換証・船荷証券・倉庫証券などと異なる。

(三) 設権証券

手形は設権証券である。手形上の権利は手形なる証券の作成により初めて発生するのであって、証券の作成が手形上の権利発生の絶対的要件だからである。たとえ手形の振出前に、振出人と支払人との間に売買・貸借等にもとづき前者が手形を振出し後者がその支払をなすべき法律関係が存在していても、これは手形外の関係にすぎないのであって、手形上の法律関係は振出人の振出、支払人の引受なる手形行為自体によって生ずるのである。この点、貨物引換証または株券にあって、まず運送品返還請求権または株主権が存在し、しかる後これが証券に表彰されるのとは異なる。

(四) 要式証券

手形は要式証券であって、法定の記載事項の記載を必要とし、その記載を欠くときは手形としての効力を有せず(手一条・二条一項・七五条・七六条一項)、これになされた裏書・引受等の手形行為もすべてその効力を生じない。もっとも、証券に記載すべき事項が法定されているという意味の要式性ならば、貨物引換証(商五七一条二項)・倉庫証券(商五九九条)・船荷証券(商七六九条)・株券(商二二五条)等においても認められるが、手形にあっては、法定の記載事項を具備しないと手形が無効となるのみならず、手形に記載しうべき事項も法定されており、手形法に規定のない事項を手形に記載しても手形上の効力を生じないのであって、手形は最も強度の要式証券である。この点は現行法には規定はないが（昭和九年以前の旧商四三九条参照）、高度の流通性を必要とする手形の性質上認めらるべき要請であるのみならず、法が手形に記載しうべき事項を一々明定しているのはこの趣旨に出たものと解せられる。しかしてそれは、手形が手形外における既存の権利を表彰するものではなくして、手形上の権利は手形の作成によって初めて発生することにより可能となっているのである。

㈤　文　言　証　券

手形は文言証券である。文言証券とは、証券上の法律関係がもっぱら証券記載の文言によって定まる証券である。したがって、証券の取得者はその文言に信頼することができ、いやしくも善意であるかぎり、証券に記載のない事項をもって債務者から対抗されることはないわけである。手形がかような文言証券であることについては、現行法には直接の規定はないが（昭和九年以前の旧商四三五条参照）、手形抗弁の制限に関する規定（手一七条・七七条一項）にもとづいて認めることができるのみならず、手形のごとき強度の流通を使命とする有価証券にとってはむしろ当然の要請でなければならない。

㈥　無因証券（抽象的証券）

手形は無因証券である。およそ人が或る行為をなすには必ず何らかの目的すなわち原因（手形の振出についていえば、売買代金の支払・借入金債務の弁済など）があるが、法律は或る場合においてはその行為をその原因から切り離して取扱うことがある。手形にあってはこのような作用が最も強く行われ、手形上の権利はその原因の存否または適法違法とは独立して存在し、その権利の行使も原因の立証を要しないでなしうるものとされている。例えば、売買代金債務の弁済のために手形が振出された場合において、後にその売買が取消されまたはその無効なことが明らかとなっても、手形上の権利は有効に存在し、ただ直接の当事者または悪意の取得者に対する関係においてのみ抗弁事由となるにすぎないのである（手一七条・七七条一項）。このように証券上の権利が原因関係から切り離された証券を無因証券または抽象的証券という。手形が無因証券であることは、手形における支払の委託または約束は単純であることを要し（手一条二号・七五条二号）、売買代金の支払とか、借入金の弁済といった原因の記載は許されず、かつ人的関係にもとづく事由は手形の善意の取得者に対抗しえないことから認められる（手一七条・七七条一項）（第一条約附属書第二第一七条）。そして既述のように手形が設権証券であって、それは証券の作成によって創造された権利を表彰するものであることが、この無因証券性と表裏の関係に立っている。この無因性と前述の文言性とにより手形取得者の地位は確保せられ、手形の強度の流通性が発揮されるのである。

なお文言証券であることと無因証券であることとは別個の観念である。前者は手形上の法律関係が証券の文言によって定まることをいうのであり、純然たる手形関係の範囲内の問題であるに反して、後者は手形関係とその原因関係とが牽連せしめられないことをいうのであり、手形と手形外の関係との間の問題だからである。例えば、証券上の権利は証券の記載上一定の原因にもとづくものであっても、その権利の内容が証券に記載されたところに限定されるならば、その証券は有因証券であって、しかも同時に文言証券であるわけである。貨物引換証などは、このような有価証券と解せられる。この場合、原因関係上の権利は証券の記載により変容を受けるのを免れないが、その限りにおいてこれを無因証券化されたと見るべきかどうかは言葉の問題であって、証券上の権利の存在がなお証券外の法律関係によって影響を受ける（貨物引換証についていえば、証券上の権利の運命は運送契約自体の運命に従い、例えば運送契約が無効な場合には証券上の権利も存在しない）以上、有因証券たるを失わないというべきである。

㈦　指図証券

手形は指図式で振出しうることはもちろんであるが、単なる記名式の場合にも当然に裏書によって譲渡することができる（手一一条一項・七七条一項）。それゆえ、手形は貨物引換証（商五七四条）・倉庫証券（商六〇三条）・船荷証券（商七七六条）などと同様に法律上当然の指図証券である。もっとも、振出人は特別の記載によってこの指図性を排除することができ、これにより手形上の権利は一般の債権譲渡の方法によってのみ譲渡しうることとなるが、この場合にもその譲渡には証券の引渡を要するものと解すべきである。なお無記名式および選択無記名式の手形（昭和九年以前の旧商四四九条・四四九条ノ二）は認められない。

㈧　呈示証券、受戻証券

手形所持人が手形上の権利を行使するには手形を呈示することを要し（商五一七条）、手形は呈示証券である。また、手形債務者は手形と引換でなければ支払をなすことを要しないのであって、手形は受戻証券である。かように手形が呈示証券かつ受戻証券である結果、手形債務は取立債務かつ催告債務であって、手形所持人は債務者の営業所または住所に赴いて取立をなすことを要し（商五一六条二項）、かつ満期が到来しても手形債務者は当然に遅滞に陥ることなく、そのためには手形所持人が手形を呈示して履行の請求をしなければならない（商五一七条）。

第二節　手形行為

第一款　総　説

一　手形行為の意義および種類

手形行為とは、手形上の法律関係の発生または変動の原因たる法律行為であって、手形に署名することを欠くべからざる要件とするものをいう。振出・裏書・引受・保証および参加引受の五つがこれに属する。これらの手形行為をその内容によって統一的に把握する（例えば、手形上の債務負担を目的とする行為というように）ことは、いわゆる手形理論の問題と関連し、手形理論において各種の手形行為につきそれぞれ異なる理論構成を認める立場にあっては、ひっきょう不可能といわざるをえない。それゆえ、右の程度の定義をもって満足するほかない。なお手形行為なる言葉は学術上の用語であって、法典においては用いられていない（手形上の行為、手八九条）。

上述の各種の手形行為のうち、振出は手形を創造する行為であって、他の手形行為に基礎を与えるものであるから、これを基本的手形行為といい、その他のものは振出により作成されたいわゆる基本手形上になされるものであるから、附属的手形行為という。そして基本手形が法定の方式を欠く場合には、振出のみならず、それになされるすべての附属的手形行為も無効となる。すなわち、基本手形が法定の方式を備えることは、すべての附属的手形行為にとっての要件である。右の各種の手形行為は、内容的に見れば、振出は手形の創造および移転を、裏書は手形上の権利の移転を、引受・保証および参加引受は手形債務の負担を目的とする行為である。為替手形の振出および一般の裏書の場合にも行為者は手形上の義務を負うが（手九条一項・一五条一項・七七条一項一号）、これは直接法律の規定によるもので、行為者の意思表示にもとづくものではない。

二　手形行為の方式

(1)　手形行為は要式の書面行為であって、すべて書面上に法定の方式をもってなされなければならない。ここでは方式と行為とは性質上分離して観念しえないのであって、方式をはなれて行為は存在しない。この点で、政策的に方式を必要とされている株式の申込・社債の申込・遺言・婚姻等と要式行為の意味を異にする。しかも、法律が方式を定めるに当たっては、必ず記載することを要する最少限度の事項のみならず、記載しうべき事項の最大限をも定めているから、手形行為は極度に定型化され、数多の手形について見ても、その上になされた各個の手形行為は、その内容は異なるけれども、形式および効力についてはほとんど同一である。かように手形行為が極度に定型化され、その形式および効力が画一的に定められている結果、ここでは私的自治の原則は甚だしくその適用範囲を狭められている。このように手形行為が定型化されているのは、流通を使命とする手形にあっては一見して手形であるかどうか、いかなる種類および内容の手形であるかを明らかにする必要があるからにほかならない。

(2)　手形行為の方式は各種の手形行為によって同一ではなく、それぞれ固有の方式を必要とし、これを欠くときはその効力を生じないが、そのすべてに通じて欠くべからざる要件は署名である。手形行為は通常署名のほかに一定の記載を必要とするが、単なる署名のみで足りる場合もある（手一三条二項・二五条一項・七七条一項）。しかしこの場合においても、署名のみで一個の手形行為を構成するのではなくして、既存の手形の記載を自己の意思表示の内容とする署名行為がすなわち手形行為であることを、忘れてはならない。署名そのものは法律行為ではなくして、単なる事実行為にすぎない。

署名とは、行為者本人が自己の名称を手書すること(自署)をいう。その名称は、行為者を識別できる名称であれば、公簿上の氏名または商号に限らず、通称・雅号・芸名等でも差支えない。他人の名称でも、行為者により取引上利用されてその者を表示するものと認められるときは、行為者の署名と認められ、また登記簿上の会社の名称と多少異なる名称でも、取引上一般に利用され、行為者たる会社の表示と認められる場合、新商号が未登記でも、それが現に特定の会社を表示するものと一般に認められている場合には、それらの名称でもよい。

署名は行為者の自署であるから、他人による代署または自署の模写は署名ではない。もっともここにいわゆる署名は、わが国従来の慣習による記名捺印をも包含するものとされている(手八二条、明治三三年法律第一七号「商法中署名スベキ場合ニ関スル法律」参照)。記名とは、氏名または商号を記載することで、記載する人または記載の方法(印刷・複写等)のいかんを問わず、押捺すべき印章は、印鑑届をした実印であることは必要でなく、出来合いの三文判でも差支えない(判例、通説)。かような記名捺印は他人をして代行させることを妨げないが、この場合にも、その手形行為は法律上は名義人自身の手形行為であって、代行者の代理行為でないことを注意しなければならない(異論はあるが、記名拇印も記名捺印の一種として、その効力を認めてよいであろう)。

なお、会社その他の法人の手形行為については、異論がないではないが、その代表機関が法人のためにすることを明らかにして(例えば、代表取締役・取締役社長・専務取締役等の資格を表示して)、その代表者自身の署名または記名捺印をなすことを要し、法人名を記載して法人印を押捺するのみでは足りない(最判昭四一・九・一三民集二〇―七―一三五九)。けだし、観念上は代表は代理と異なるけれども、実定法上は代理と同じ取扱に服すべきものとされているからである。実際上も、法人の手形行為の方式として法人名を記載し法人印を押捺する方法を認めることは、その必要がなくかつ適当でもない。なお権利能力のない社団または組合にあっても、社団または組合の代表者がその資格を表示して自己の署名をすれば、権利能力のない社団の場合には社団がその財産をもって、組合の場合には組合員全員が手形上の責任を負うものと解すべきである（最判昭三六・七・三一民集一五―七―一九八二）。

署名の代理が認められるかどうかについては議論があるが、これに関しては後に述べる。

第二款　手形行為の性質

手形行為も法律行為の一種であるから、別段の事情がないかぎり、法律行為に関する一般原則の適用を受けるが、しかし手形そのものの性質と関連して、特別の考察を必要とする点が少なくない。

(一)　手形行為の要式性

これについてはさきに述べたが、とくに行為と方式との融合および極度の定型化を注意しなければならない。

(二)　手形行為の無因性

一般の出捐行為におけると同様に、人が手形行為をする場合には、売買代金の支払・借入金の弁済など必ず何らかの目的すなわち原因がある。原因の不存在または無効は法律行為の無効をもたらすのが原則であるが、しかし手形行為はその原因から抽離されて、その行為をなしたこと自体によって効力を生じ、これをなすに至った原因の存否および有効無効により影響を受けることなく、ただ原因関係は直接の当事者間および悪意の取得者に対する関係においてのみ抗弁事由となるものとされている（手一七条・七七条一項）。それゆえ、手形行為はいわゆる無因行為である。さきに手形を無因証券といったのは、これを証券の方面から立言したものにほかならない。かような手形行為の無因性が認められるのでなければ、人は安んじて手形を取得することはできなく、手形の流通性は期待されえない。

㈢　手形行為の文言性

手形は不特定多数人の間を転輾流通する有価証券であるから、手形行為は不特定多数人に向けられた対公衆的意思表示から成る法律行為である。したがって、その行為の内容はもっぱら証券上の記載を標準として定められ、証券上の記載は行為者の意思いかんにかかわらずこれを拘束し、行為者の意思と証券上の記載との矛盾は、直接の当事者間および悪意の取得者に対する関係において抗弁事由となるにすぎないものとされている。この点において特定の当事者間の法律関係に関する民法上の法律行為とその趣を異にし、これによって手形の流通性が確保せられる。そしてこのことが当然に、手形行為の解釈につき手形外観解釈の法則（三〇頁）のごとき特殊の法則を要請すると同時に、民法の意思表示に関する規定を手形行為に適用するに当たっても、表示主義にもとづく種々の変容を要請せずにはおかない。さきに手形を文言証券といったのは、これを証券の方面から立言したものにほかならない。

㈣　手形行為の独立性

手形にあっては、一個の手形上に多数の行為のなされることが多い。それらの行為の中には、振出のように他の手形行為を全く前提としないものもあるが、引受・裏書・保証等手形行為の多くはいずれも振出その他の手形行為を前提としている。このような場合には、その前提行為が無効であれば、それを前提とする他の行為もまた当然無効であるかのごとく考えられるが、しかし同一手形上になされた各個の手形行為はそれぞれ独立してその効力を生じ、他の行為の実質的効力の有無によっては影響を受けないのである。これを手形行為の独立性または手形行為独立の原則という。例えば、振出が振出人の無能力を理由として取消された場合にも、その手形上になされた引受・保証等は有効であって、引受人・保証人等はその手形の文言に従って義務を負わなければならない。手形法七条（手七七条二項）が、手形に無能力者の署名・偽造の署名・仮設人の署名またはその他の事由により署名者もしくはその本人に義務を負わせることのできない署名（例えば意思無能力者または無権代理人の署名）がある場合といえども、他の署名者の債務はその効力を妨げられないと定めているのは、かような手形行為の独立性を明らかにするものであり、また同法三二条二項（保証人の責任）、六五条（複本各通の引受人および裏書人の責任）、六九条（変造手形の署名者の責任）等においても、同じ原則をうかがうことができる。

手形行為独立の原則の認められる根拠については、手形取引の安全のために認められた特殊の法則であるとする見解もあるが、手形行為の文言的性質にもとづく当然の原則であると解するのが正当である。すなわち、手形行為なるものは、それぞれ手形上の記載をもって自己の意思表示の内容とする法律行為であり、行為者はその文言に従って責任を負うのであるから、それが他人の行為の有効無効によって影響を受けないのは当然の事理といわなければならない。したがって、この見解に立つかぎり、手形取得者が前提行為の実質的に無効であることについて悪意である場合、例えば被裏書人が振出が無能力の理由で取消されたことを知っている場合にも、上述の原則の適用があり、その裏書の効力には影響はないのである。これに反して、右の原則をもって手形取引の安全のために認められた特殊の法則であるとする見解に立つならば、手形行為独立の原則は善意取得者に対してのみ適用されるのが当然と認められるであろう。元来、この原則が手形行為についてとくに問題とされるのは、同一手形上に相ついで数個の手形行為がなされる場合には、それら一連の手形行為は結局手形金額の支払に至る道程として、一見先行行為は当然後の行為の有効要件をなすもののように考えられやすいからである。しかし上述のように考えれば、手形行為の独立性は手形行為の性質上当然の事理にほかならない。ただ裏書については、これを手形上の権利の譲渡と解する立場をとるかぎり、裏書人が譲渡すべき権利を有しなければならない理であるから、権利移転行為としては後の裏書は当然に前の裏書の実質的に有効なことを前提とするものといわざるをえないのであって、その意味では裏書に独立性を認めることはできない。裏書人が無権利者である場合にも、これにつき被裏書人に悪意または重大な過失がないかぎり、その者は手形上の権利を取得するが（手一六条二項）、これは法が取引安全のために善意取得者の保護を認めている結果であって、手形行為の独立性によるのではない。しかし、裏書が権利移転行為としては効力を有しない場合でも、裏書人はなお法定の担保義務を負担することとなるから（手一五条一項、七七条一項）、その意味では裏書にも手形行為独立の原則の適用があるものといわなければならない。

なお、上述の手形行為の独立性が認められるためには、当該手形行為が法定の方式を具備しているのはもとより、その前提をなす行為も必要な方式を具備していなければならない（手三二条二項参照）。例えば、振出が手形要件の欠缺により無効であるときは、その手形上になされた他の手形行為もすべて無効たるを免れない。しかしこれは、振出行為の無効が他の手形行為の効力に影響を及ぼす結果ではなくして、他の手形行為自身が必要な方式を欠いている結果（基本手形が法定の方式を具備することが、附属的手形行為の要件である）であることを注意しなければならない。

㈤　手形行為の商行為性

手形行為は絶対的商行為である（商五〇一条四号）。それゆえ、その行為者が商人であると否とを問わず商行為であって、商行為の通則は手形の性質と背反しないかぎり、当然これに適用される。この点で最も問題となるのは、数人が共同して手形行為をする場合に商法五一一条一項の規定が適用されるかどうかであるが、これを否定するのが通説である。

第三款　手形行為の解釈

手形行為は手形上の記載をもって自己の意思表示の内容とする法律行為であるから、手形行為の解釈はもっぱら手形の文言にもとづいてなすべきであって、手形上に表われていない事情によって当事者の意思を推知しまたは手形の記載を補充変更することは許されない。すなわち手形の文言性の結果、手形行為の解釈については、法律行為の解釈に際しては契約の用語に拘泥せず、もっぱら当事者の真意を探求すべし（独民一三三条参照）とする法律行為の解釈に関する一般原則は適用されない。これを手形外観解釈の法則という。これは、手形が不特定多数人の間を流通し、未知の当事者間に法律関係を生ぜしめるものであることにもとづく当然の要請である。

しかしながら、手形の文言そのものの解釈は、一般の理論により信義の命ずるところに従いかつ慣習を参酌してなすべきであって、文字の末に拘泥して、いたずらな形式主義に堕してはならない。手形であるからといってとくに厳格に解釈すべき理由（手形厳格解釈の法則）はないのであって、例えば誤字・脱字・文法上の誤り等があっても、その意味が明らかなかぎり問題とすべきではない。手形は無効と解するよりも有効と解すべしとする主張（いわゆる手形有効解釈の原則）も、ひっきょう手形行為の要式性の範囲内において、取引の慣習を顧慮し信義誠実の要求するところに従って解釈すべしという意味にほかならない。なお、手形上の文言は法律上の効力あるもののみに限らず、手形上の記載である以上すべて解釈の材料とすべきであり、また慣習を顧慮するに当たっては、手形の地域および人についての無限定的な流通性から見て、特定の社会または特定の地方の慣習によるべきではなく、一般取引の慣習によるべきである。

第四款　手形行為と法律行為に関する一般原則との関係

一　緒　　言

手形行為は一種の法律行為であるから、これについて法律行為に関する一般原則の適用があることはいうまでもない。しかしながら、その原則の適用に当たっては、手形行為の特異性、すなわち民法の定める売買・貸借等の法律行為が特定の当事者間のみの関係に関するのと異なり、手形行為は不特定多数人の間を転輾すべき流通証券上の行為であり、その意味で対公衆的意思表示たる性質を有するのであって、これにもとづく手形所持人の保護に対する社会的要請により、とくに表示主義の優位が認められなければならないことは注意を要する。そこで問題は、これにより法律行為に関する民法の一般原則がいかなる変容を要請されるかにあるわけである。もっとも近時は、手形行為が成立するためには、行為者が手形であることを認識してこれに署名することを要しかつそれをもって足り、この要件がみたされておれば、行為者は詐欺・強迫等により手形債務を負担する意思がなかったとしても、手形債務自体を否定することはできない（意思の欠缺または瑕疵は人的抗弁事由たるにとどまる）として、手形行為には民法の意思表示に関する一般理論の適用を否定する見解も見られる。

二　民法の諸規定の適用

㈠　手形能力（後述）

㈡　手形行為の代理（後述）

㈢　公序良俗違反と手形行為

手形行為は既述のように抽象的かつ定型的行為であるから、これについては民法九〇条の規定を適用すべき余地はない。ただその原因たる行為については公序良俗違反の問題を生じうるが、それもいわゆる人的抗弁（手一七条・七七条一項）として手形行為に反映するのみで、手形行為自体の無効をきたすものではない。

㈣　心裡留保と手形行為

民法九三条は手形行為にも適用される。ただしその無効は、手形流通保護の要請にもとづき、善意の第三者には対抗できないものと解しなければならない（民九四条二項類推）。

㈤　虚偽の手形行為

民法九四条の規定は手続行為にそのまま適用されうる。

㈥　要素の錯誤と手形行為

抽象的かつ文言的行為である手形行為には、厳密な意味における錯誤の問題は起りえないはずである。手形行為の原因関係については錯誤を生じうるが、その錯誤は人的抗弁たるにとどまり、手形行為の効力には影響はない。また、他の証書（例えば領収書）と誤認して手形に署名した場合などは要素の錯誤と見えないではないが、かような場合には実は手形たることの認識なくして署名したのであるから、むしろ手形署名がなく、したがって錯誤に関する規定をまつまでもなくその行為は無効と解せらるべきである。これに反して、一〇万円の手形に署名する意思で一〇〇万円の手形に署名したような場合には、手形行為者の手形署名は存するのであるから、外観信頼の保護を重視する手形法の精神にかんがみて、その事実は当事者間における人的抗弁たるにすぎないものと解しなければならない。

㈦　詐欺または強迫による手形行為

詐欺による手形行為に関しては、そのまま民法九六条の適用がある。強迫による手形行為についても取消を認むべきであるが、その取消は、詐欺による取消の場合と同様、善意の第三者には対抗しえないものと解しなければならない。

(八)　双方代理と手形行為

民法一〇八条の規定は手形行為にも適用される。しかし、同一人が相手方の代理人または双方の代理人であるかどうかは、善意の第三者に対する関係においては、もっぱら証券の記載によって定めなければならない。

三　商法二三条と手形行為

商法二三条は、自己の氏・氏名または商号を使用して営業をなすことを他人に許諾した者は、自己を営業主と誤認して取引をした者に対し、その取引によって生じた債務につきその他人と連帯して弁済の責に任ずるとして、いわゆる名板貸の責任につき規定している。営業について自己の名義の使用を許諾した場合に、名板借人がその営業に関してなした手形行為につき、名板貸人が右の規定により責任を負うことについては問題がないが、手形行為をなすことについてのみ名義使用を許諾した場合に、名義貸人が同様の責任を負うかについては、問題がないではない。商法二三条を厳格に解すれば、問題は否定されることになり、そのような判例もあるが（最判昭四二・六・六判時四八七―五六）、しかし名板貸人の名義に信頼して取引をした第三者の保護を目的とする商法二三条の立法趣旨にかんがみれば、この場合にも同条を類推適用して名義貸人の手形上の責任を認めるのが正当である。

四　商法七五条および二六五条と手形行為

無限責任社員または取締役と会社との間の取引の制限に関する商法七五条または二六五条の規定が手形行為に適用されるかどうかは、最も議論の多いところである。手形行為の手段的・抽象的性質を理由にこれを否定する見解も少なくないが、手形の振出は簡易かつ有効な信用授受の手段として行われ、またその振出人は、手形の振出により、原因関係におけるとは別個の新たな厳格な債務を負担するのであるから、これらの規定にいわゆる取引には手形行為をも包含するものと解すべきである。そして無限責任社員または取締役がこれらの規定に違反してなした手形行為、例えば会社が取締役会の承認なくしてその取締役に対してなした手形の振出は、当事者間では無効であるが、いったんその手形が第三者に裏書譲渡されたときは、取引の安全保護の見地から、会社は、その手形行為が上記の規定に違反してなされたものであることにつき右第三者が悪意であったことを主張し立証するのでなければ、その手形行為の無効を主張することはできないものと解しなければならない（最判昭四六・一〇・一三民集二五—七—九〇〇）。

第五款　手　形　能　力

一　手形能力の意義

ひろく手形能力というときは、手形権利能力および手形行為能力を包含する。前者は手形上の権利義務の主体となる能力をいい、後者は自己の行為により手形上の権利者または義務者となりうる能力をいう。

二　手形権利能力

これについては法律に別段の規定がないから、民法の規定により、一般に権利能力を有する者は当然に手形権利能力をも有するものと解せられる。このことは法人についても同様である。

三　手形行為能力

これについても法律に別段の規定がないから、民法の一般原則によって判断するほかない。

(1)　意思無能力者　　意思無能力者は常に行為能力を有せず、したがって手形行為能力をも有しない。それゆえ、手形行為については法定代理人がこれを代理するほかない。

(2)　未成年者　未成年者が法定代理人の同意を得ないでなした手形行為は、原則として取消すことができる（民四条）。ただし、営業の許可を得たときはその営業に関し、また処分を許された財産に関しては許された範囲内において、完全な手形行為能力を有する（民五条・六条）。なお手形行為者が未成年者であるかどうか、法定代理人の同意または営業の許可があったかどうか等は、手形の記載事項ではなく、手形自体からは知りえないことを注意しなければならない。

(3)　禁治産者　禁治産者のなした手形行為は、常に取消すことができる（民九条）。それゆえ、禁治産者のために手形行為を必要とするときは、法定代理人が代理するほかない。

(4)　準禁治産者　準禁治産者が保佐人の同意なくして民法一二条一項列挙の行為をなすときは、取消すことができるが、手形行為がこの列挙のいずれかに該当するかどうかについては、議論がある。手形行為の手段的・抽象的性質を理由にこれを否定する見解もあるが、手形行為により手形上の債務を負担するときは借財に当たり、無担保裏書のような場合には重要な動産の得喪に当たるものと解して、右の規定を適用するのが適当である。

手形行為能力は手形行為の時に存すれば足り、後にこれを失ってもその行為の効力には影響はない。手形行為の時とは、相手方に交付するため手形が行為者の手を離脱した時と解すべきである。

意思無能力者の手形行為は当然無効であり、また未成年者ないし準禁治産者の手形行為が上述したところによって取消されたときは、初めから無効なものとみなされ（民一二一条）、それらの者は何びとに対しても手形上の義務を負わない。そして振出または裏書が無効であるかまたは取消されたときは、相手方がその手形を善意の第三者に譲渡していないかぎり（手一六条二項・七七条一項参照）、その返還を請求することができる。すなわち、わが国の法律は無能力者の保護を手形流通の保護よりも高く評価しているのであって、立法上考慮の余地ありとされるところである。

右の取消および取消しうべき手形行為の追認は民法の規定（民一二〇条以下）によるが、その取消または追認の相手方については議論がある。ことに取消の相手方については当該手形行為の直接の相手方に限るとする見解が少なくないが、流通を使命とする手形の性質から考えて、追認はもとより取消も直接の相手方のみならず随時の手形所持人に対してなすことをうるものと解するのが正当である。

なお、特定の手形行為が上述のところにより無効であるかまたは取消された場合にも、その手形に署名した他の者の債務がこれによってその効力を妨げられないことは、すでに手形行為独立の原則に関して述べたとおりである（手七条・七七条二項）。

第六款　手形行為の代理

一　総　説

手形行為も、一般の法律行為と同様、代理人によってなすことができる。手形行為の代理については、手形法は単に無権代理人の責任に関する規定（手八条・七七条二項）を設けているのみであるから、その方式・効力等については一般の原則によって解決するほかない。なお法人の代表機関が法人のために手形行為をする場合は、代表関係であって代理関係ではないが、これも実定法上は代理に関する規定に従うので、以下に述べるところは代理および代表の双方に関する。

二　代理の方式

手形行為を代理するには、本人のためにする旨を手形に記載して、代理人が署名または記名捺印をしなければならない。この点はかつては法に明文の規定（昭和九年以前の旧商四三六条）があったが、その規定を欠く現行法のもとでも同一に解すべきことは、手形行為の証券的行為たる性質上当然である。この点では、商行為の代理人が本人のためにすることを示さない場合でも、その行為は本人について効力を生ずるとする商法五〇四条の規定の例外をなしている（なお民九九条・一〇〇条参照）。いわゆる本人のためにする旨の記載は、必ずしも何某代理人なる文字を用いることは必要でなく、親権者・後見人・代表取締役・支配人・支店長・営業部長・会計課長等一般に代理人たる資格でその行為をしたと認めうべき記載があれば足りる。そして例えば振出人として「合資会社安心荘　斎藤シズエ」の記載がある場合のように、手形が法人および個人のいずれのためにも振出されたと解されるようなときは、手形所持人は法人および代表者個人のいずれに対しても手形金の請求をすることができる（最判昭四七・二・一〇民集二六―一―一七）。

右の方式に反して、代理人が本人のためにする旨を記載しないで、単に自己の署名のみをした場合には、代理人みずから手形上の責任を負わなければならない。けだし手形上の記載においては、代理人自身の手形行為があるにほかならないからである。民法一〇〇条但書によれば、代理人が本人のためにすることを示さない場合でも、もし相手方が本人のためにすることを知りまたは知ることをうべかりしときは、その行為は直接本人について効力を生ずるが、この規定は手形行為には適用がなく、ただ代理人はかかる相手方に対しては人的抗弁（手一七条・七七条一項）を対抗して、その責任を免れうるにとどまる。

なお上述の代理の方式以外に判例は、代理人が代理権にもとづき直接本人名義の署名をなすことにより手形行為を代理するところの署名の代理の方式をも認めているが（大判大四・一〇・三〇民録二一―一七九九）、学説は多く反対である。けだし、署名は自署であるから本来他人が代わってなしうべき性質のものではなく、また代署も署名と解するならば別に記名捺印を認める理由を欠くのみならず、無権代理と手形の偽造とを形式上区別しえない弊があるのを免れないからである。

これに反して、記名捺印は他人をして代行させることができる。実際にも、例えば主人がその使用人を指図して自己に代わって手形に記名捺印をさせ、或いは主人が支配人に自己の印章を預けて不在中必要に応じて主人名義で手形行為をさせることが行われており、法律上も有効な手形行為と認められている。判例はこれも代理行為の一方式として認めており、上述の後の方の事例のごときは実質的には明らかに代理行為の性質を有しているが、しかしこの場合にも手形上は本人の手形行為が存するのみで、代行者の代理行為が存するのでないことを注意しなければならない（近時これを機関による手形行為とよぶ学者がある）。

会社その他の法人の署名については、法人名を記載して法人印を押捺するのみでは足りなく、その代表機関が法人のためにすることを明らかにして、その代表者自身の署名または記名捺印をなすべきことは（最判昭四一・九・一三民集二〇―七―一三五九）、すでに述べたとおりである。

三　代　理　権

手形行為が上述の方式に従い代理人によってなされた場合にも、これによって本人が手形上の責任を負うためには、なお代理人が代理権を有し、かつその代理権の範囲内で代理行為をしたことが必要である。そうでなければ無権代理の問題を生ずる。以下かような無権代理の場合の法律関係について述べる。

(一)　本人（厳密にいえば本人として表示せられた者）の責任

代理権のない者の代理行為によって本人が手形上の責任を負わないことは、もちろんである。もっとも、つぎの場合には例外として本人の責任を生ずる。

(1)　表見代理の場合（民一〇九条・一一〇条・一一二条）　この場合には、本人は民法一〇九条・一一〇条または一一二条の定める「第三者」に対して責任を負わなければならない。この場合いわゆる第三者は当該手形行為の直接の相手方のみをいうか、その後の手形取得者をも含むかについては議論がある。判例は、ここにいわゆる第三者とは代理人と法律行為をした直接の相手方をいい、直接の相手方につき表見代理の要件が備わらないときは、その後の手形取得者につきその要件が備わった場合においても、本人は表見代理による責任を負わないとし（大判大一四・三・一二民集四―一二四、最判昭三六・一二・一二民集一五―一一―二七五六）、ただ無権代理人の振出した手形につき本人が振出人としての表見責任を負うべきときは、受取人からその手形の裏書譲渡を受けた者に対しても、その者の善意悪意を問わず、振出人としての責任を免れないと解している（最判昭五二・一二・九判時八七九―一三五）。しかし、これでは多数人の間を転輾流通する手形に関する取引の安全は期待しえないのであって、表見代理にいわゆる第三者は、当該手形行為の直接の相手方のみならず、爾後手形関係に加入した第三者であって、表見代理の関係を生ずべき事情のあるすべての者を包含すると解すべきである。

(2)　本人が追認した場合　追認は無権代理人またはその行為の直接の相手方もしくは随時の手形所持人に対してなせば足りる。

(二)　無権代理人の責任

(1)　無権代理人が代理人として手形行為をした場合に、これにより本人が手形上の責任を負わないことはいうまでもないが、無権代理人はその行為によってみずから手形上の責任を負わなければならない（手八条一文、民法一一七条一項の適用は排除せられる）。これは、代理権がないにもかかわらず代理行為をしたことにより認められた責任であって、本人が実在しないかまたは本人に権利能力がない場合にも、その者の代理人名義で手形行為をした者は、右の規定の類推適用により手形上の責任を負わなければならない（最判昭三八・一一・一九民集一七―一一―一四〇一）。そして表見代理の場合には、本人と無権代理人とが並んで責任を負うこととなる。民法の表見代理に関する規定による本人の責任と手形法八条による無権代理人の責任とは、それぞれの責任の根拠を異にするから、互に相排斥しないものと解するのが至当だからである。このことは代理人が代理権限を超えて代理をした場合についても妥当するのであって、多少の異論はあるが、それがもし表見代理となる場合には、本人および超権代理人のいずれもが手形金額の全部について責任を負い、表見代理とならない場合には、本人は授権した金額の範囲内で、超権代理人は手形金額の全部につき、それぞれ責任を負うものと解すべきである（手八条三文・七七条二項）。超権代理人が手形金額の全部につき責任を負うことは、無権代理人が手形金額の全部につき代理行為をしたことおよび手形金額の不可分性にもとづいて認められる。以上の無権代理人の責任は、無権代理であることを知っていた悪意の相手方に対しては認められないものと解せられる（民一一七条二項参照、相手方が善意であるかぎり過失の有無を問わない）。手形所持人が上述の無権代理人の責任を問う場合には、代理権がないことの立証責任を手形所持人が負うものではなく、責任を免れようとする代理人の方で、代理権の存在することを立証しなければならない。

なお本人の追認があるときは、無権代理行為は遡及的に有効となり、無権代理関係は除去されるから、上述の無権代理人の責任も解消する。

(2)　上述のところによる無権代理人の責任は、代理権があるとすれば本人が負うべかりしと同一の責任であり、無権代理人は、自己が手形所持人に対して主張しうべき抗弁のほか、本人に責任があるとすれば本人の主張しうべき抗弁をも対抗することができるものと解される。そして無権代理人がその支払をしたときは、本人がその義務の履行によって取得するのと同一の権利を取得する（手八条二文・七七条二項）。無権代理行為により手形関係は無権代理人とその相手方との間に発生するのであるが、その手形関係における義務の履行により無権代理人は本人の取得すべかりし権利と同一内容の権利を取得することとなるのである。したがって、無権代理人は自分自身に対する抗弁のほか、本人が対抗を受くべかりし抗弁の対抗をも受けなければならない。

第七款　手形の偽造および変造

一　緒　　言

手形の偽造および変造は、手形行為自体またはその内容を偽って他人に責任を帰せしめようとする行為であり、いずれも手形行為に関連する問題である。そしてここでは、手形所持人の保護のための外観尊重の要求と、手形行為者にその行為の時における文言に従う以上の責任を負担させえないことの二つの要求の調和が、問題解決の目標となっている。

二　手形の偽造

㈠　意　　義

手形の偽造とは、他人の名義を偽って手形行為をなすことをいう。振出人の署名を偽って手形を振出す場合のみならず、他人の名義を冒用して裏書・引受・保証等の手形行為をする場合をもすべて包含する。盗取または偽造した印章を使って他人名義の記名捺印をするのが普通であるが、他人の署名または記名捺印のある紙片を権利なくして手形署名に利用するがごときも、手形の偽造である。広義においては、代理権なくして手形行為の代理をなす場合も手形の偽造であるといわれることがあり、事実、行為者が権限なくして他人に手形上の義務を帰せしめようとする点では両者は共通である。しかし、代理の方式により権限なくして手形行為をするときは、無権代理と認められるに対して、たとえ本人のためにする意思をもってにせよ、権限なくして本人の署名または記名捺印を代行する方式により手形行為をするときは、手形の偽造と認められるのである。このように偽造は署名に関し、手形債務の帰属者を偽る行為である点において、署名以外の手形の記載事項を変更し、したがって手形債務の内容を偽る行為である変造と区別される。

㈡　効　果

手形の偽造があった場合の法律効果は、つぎのようである。

⑴　偽造者は、その刑法上（刑一六二条）および不法行為上（民七〇九条）の責任は別として、手形上は何ら責任を負わないとするのが従来の通説であったが、最近の判例は、無権代理人の手形上の責任を定める手形法八条の規定の類推適用により、偽造者の手形上の責任を認めるに至った（最判昭四九・六・二八民集二八―五―六五五）。しかし、偽造者は信用ある他人の名称を自己を表示する名称として用い、自己の手形行為をしているものと考えられるのであって、このような見地に立てば、偽造者が手形上の責任を負うのは当然であるといえる。

⑵　被偽造者は何人に対しても手形上の責任を負わない。彼自身の手形行為は存在しないからである。ただし、記名捺印による偽造の場合において、第三者がその記名捺印を真正なものと信ずるにつき相当の理由があり、かつこれにつき被偽造者に責任を問わるべき事由があるときは、表見理論（この点につき表見代理の規定の類推適用を認める見解が多いが、一般の表見理論によるべきである）により被偽造者の責任を認むべきであろう。なお近時、偽造手形につき無権代理に関する規定を類推して、被偽造者の追認によりはじめからその者の手形上の責任が生ずることを

認める見解が少なくない。しかし、署名の偽造は無権代理とは異なるから、民法一一三条の意味における追認により遡及的に名義人にその効力を生ぜしめうるものではなく、ただ本人が追認することにより、その時から本人の新たな手形行為としての効力を生ずることは認められる（民一一九条）。

(3)　偽造手形に署名した者は、その手形の文言に従って責任を負わなければならない（手七条・七七条二項）。その者が偽造の事実を知ると否とは問わない。これはいわゆる手形行為独立の原則の顕現にほかならない。

なおかつては、偽造者および悪意または重大な過失により偽造手形を取得した者は、手形上の権利を有しないものとされていたが（昭和九年以前の旧商四三七条三項）、現行法にはかかる規定はなく、偽造者も偽造前に正当に有した権利はこれを失わないし、また悪意取得者も一般の原則により手形上の権利を取得すると解すべきである。

三　手形の変造

(一)　意　義

手形の変造とは、権限なくして既存手形の文言を変更することをいう。その文言は手形上の効力を有するものでなければならないが、手形上の効力を有する文言である以上、手形要件たると任意的記載事項（例えば、拒絶証書作成免除文句・無担保文句等）たるとを問わない。ただし、手形上の効力を有しない記載に変更を加えても、変造にはならない。変造は権限なくしてなされる変更であるから、引受人が第三者方払の旨を記載し（手二七条）、または所持人が手形関係者全員の同意を得て満期日の変更をするような場合は変造ではない。また白地手形の不当補充も変造ではない。この場合には補充されたものを手形文言とする趣旨で手形は振出されたのであって、補充は既存の文言の変更とはいえないからである。変造の方法は抹消・塗潰・新たな文字の追加等これを問わない。なお変造は手形上の義務の内容を偽る行為たる点で、その義務の帰属者を偽る行為たる偽造と区別されることは、既述のとおりである（権限なくして既存の手形署名を変更するのは偽造であるが、同時に変造的な要素をも包含している）。

㈡　効　果

⑴　単に手形文言を変更したのみでみずからは手形行為をしない変造者は、その不法行為上および刑事上の責任は別として、手形上は何らの責任を負わない。変造者が変造と同時に手形行為をしているときは、その変更された文言に従って責任を負う。変造者が変造により変更された内容の権利を取得しえないことはもちろんであるが、変造により従前から有していた権利までも失うわけではない。また変造手形の悪意取得者も有効に手形上の権利を取得する（昭和九年以前の旧商四三七条三項参照）。

⑵　変造前の署名者は原文言、すなわちその署名当時の手形文言に従って責任を負う（手六九条）。例えば、変造により手形金額が変更された場合にも、変造前の署名者は、変造前の金額については手形上の責任を免れない。変造前の署名者が変造された文言に従って責任を負う理由のないことはいうまでもないが、しかし変造によりいったん発生した責任までも免れるべき理由はないからである。その点では、原文言がなお読みうる程度に残存するかどうか、変造が手形の要部になされたどうかを問わない。また変造が手形要件に関し、しかも変造の結果要件を欠くに至った場合でも、同様と解すべきである。この場合にも、手形所持人は当該要件の欠如した手形をもって変造前の署名者の責任を問うことができるが、そのためには変造により要件を欠くに至ったものである事実を立証しなければならないことは、いうまでもない。なお、手形文言、例えば満期の記載につき手形関係者全員の同意を得て変更するときは、有効な満期の変更であって、手形の変造ではないが、この場合、一部の手形関係者の同意を得ていないときは、同意をした者については有効な手形文言の変更があったことになり、同意をしない者については手形の変造があったものと解される。

(3) 変造後の署名者は、変造された文言に従って責任を負う（手六九条・七七条一項）。その文言を自己の意思表示の内容として手形行為をした以上当然のことであって、手形行為独立の原則の一顕現にほかならない。

(4) 右のように変造手形にあっては、署名が変造前であるかまたは変造後であるかによって署名者の責任を異にするが、この点の立証責任は何びとが負担すべきであろうか。これは挙証責任の分配に関する一般の原則に従い、手形の外形に異状がない場合には、変造を主張する者の方で変造の事実および自己が署名したのは変造前であることを立証することを要するが、変造の証跡が明らかな場合には、所持人の方で債務者が変更に同意したことまたは債務者の署名したのが変造後であることの立証をしなければならない（昭和九年以前の旧商四三七条二項参照）。

第八款　手形理論（手形学説）

手形上の権利義務がいかにして発生するかの法律構成上の議論を手形理論といい、かつては手形法研究の中心問題となっていた。手形上の権利義務は前述のごとく手形行為にもとづいて発生するから、手形理論はすなわち手形行為の本質論にほかならない。手形理論は一九世紀の手形法学界の中心問題をなし、これに関して無数の学説の発生を見たが、今日では漸く学者の関心を遠ざかった。その理由は、今日の手形法は手形に関する重要問題についてほとんど規定し尽くしているのみならず、たまたま規定のない事項があっても、どの学説をとるかによって結論において大差がなくなったこと、ならびにかつての概念法学に対する反動に求められるであろう。従来の手形理論はすべての手形行為を統一的に説明しようとした結果、ややもすれば概念の遊戯に堕するの弊に陥ったことは否定しがたいが、しかしそのゆえに各個の手形行為に関する理論構成の試み自体の価値までも否認しようとするならば、是認することはできない。

手形発生の初期においては、手形上の権利義務と原因関係上の権利義務との区別はいまだ明らかでなかったが、一九世紀の中頃にアイネルトの紙幣説が出るに及んで、この両者は截然区別せられ、手形理論の研究に新生面が開かれた。今日行われる手形理論は大別して契約説、単独行為説および発行説の三つとすることができる。

(1)　契約説　これは、手形上の権利義務は手形の授受なる方式で行われる契約によって発生するとなすものである。この説によれば、手形授受の直接の当事者、例えば振出人と受取人との間の法律関係を説明するには適するが、手形債務者とその直接の相手方の後者との間の法律関係、例えば振出人が受取人の後者に対してまでも責任を負う理由の説明に苦しむ。そこでこの点においてまた学説が分かれ、或いは(ア)後者は前者の権利を承継するとし（承継説）、或いは(イ)直接の当事者間に交付契約と同時に後の手形取得者を受益者とする第三者のためにする契約があるとし（第三者のためにする契約説）、或いは(ウ)手形は不特定多数人に対する無数の契約の申込を担い、手形の取得者はその取得によりこれを承諾するものとする（不特定人との契約説）など種々の説明が試みられている。なおこの交付契約説によれば、例えば振出人が手形を作成しても交付契約を欠くときは（振出人の手許から手形が盗取されたような場合）、何びとに対しても手形上の義務を負わないこととなるが、この結果が手形取引の安全を害することはいうまでもない。それゆえ、今日では交付契約説をとる者も、たとえ手形が署名者の意思によらないで流通におかれた場合でも、その手形が第三者の手中にあるときは、交付契約があったと認むべき外観が存在し、この外観に対する第三者の信頼は保護されなければならないとともに、手形署名者にはこの外観を作り出すことに原因を与えた責任（帰責事由）があるとして、手形署名者の責任を認めるようになっている。これを権利外観説という。

(2)　単独行為説（創造説）　これは、手形上の権利義務は手形債務者の一方的署名行為によって発生するとなすものである。この説によっても、手形がその効力を生ずるには債権者がなければならないが、その債権者がどうして定まるかについては説が分かれ、或いは(ア)手形の占有を取得すれば足りるとし(所持説)、或いは(イ)手形の善意の占有者であることを要するとし(善意説)、或いは(ウ)手形の所有権を取得することを要する(所有権説)とする等の説明がなされている。なお近時は、(エ)単独行為たる証券の作成によってすでに手形上の権利が発生し、証券の交付はこの発生した権利を相手方に譲渡する契約であるとする見解も見られる。

(3)　発行説　これは、手形上の権利義務は、署名者の一方的署名行為と、署名者の意思にもとづく証券の占有の移転とによって発生するとなすものである。したがって上記両説の折衷的な学説である。

右のように、契約説と単独行為説とは全く異なる立場から出発し、発行説はその中間的な立場をとっているが、その実際上の結果として生ずる相違の主なものは、手形が盗難・遺失その他手形署名者の意思に反して流通におかれた場合(いわゆる交付契約欠缺の場合)にもなお署名者が手形上の責任を負うか、また手形署名者の能力は何時を標準として決するかの点にあるのみである。これらの点も、上述の権利外観理論によって著しい接近を示している。

おもうに、いわゆる手形理論の根本の欠陥は、各個の手形行為の特性を無視し、しいてこれを単一の理論をもって説明しようとするところにある。手形理論がややもすれば擬制的な説明と概念的遊戯とに堕し、いたずらに理論の精緻を競うのは、このゆえにほかならない。むしろ必要なことは、各個の手形行為の実体を直視し、その各々に適する理論構成を試みることでなければならない。そしてこの場合とくに留意すべきことは、手形のごとき一般公衆の間を転輾する流通証券にあっては、取引安全の要請にもとづく善意者保護のために、一方において、相当な事情にもとづき或る外観に信頼した者に対しては、その信頼どおりの保護を与える(権利外観理論)とともに、他方において、自己の行為により或る法律状態の存在を推認せしめるような事情を作り出した者に対しては、それにつき責任を負わしめる必要がある(原因主義)のみならず、さらに法は、手形取引の目的達成のために、当事者の意思に関係なく一定の行為者に対し一定の責任を認めている場合もあるということである。手形行為の性質を理解するに当たっては、その行為の意思表示上の効果とかかる法律政策的効果とを識別するのでなければ、到底正当な解決に到達することをえないのである。従来の手形理論の欠陥の一つは、この点に気付かなかったことにあるといえる。本書においては、叙上の諸点をかえりみながら、それぞれの個所でそれぞれの手形行為につき、その法律的性質を考察することとしたい。

第三節　手形上の権利

第一款　総　　説

一　意　　義

手形に関して手形法に規定のある権利には種々あるが、これにつき通常手形上の権利と手形法上との権利とを区別する。

(1)　手形上の権利とは、手形行為によって生じ、したがって手形そのものによらなければ行使できない権利である。手形法が手形より生ずる権利（手一四条二項・六三条一項）・手形上の請求権（手七〇条一項）というのがこれであり、この権利に対応する義務がいわゆる手形債務（手七条）または手形上の債務（手三二条三項・六三条一項）にほかならない。実質的にいえば、手形上の権利とは直接手形の目的を達するために与えられた権利であるともいうことができる。為替手形の引受人または約束手形の振出人に対する手形金額支払請求権（手二八条一項・七八条一項）・

前者に対する償還請求権（手四七条・七七条一項）・手形保証人に対する権利（手三二条一項・七七条三項）・債務を履行した保証人が主たる債務者およびその前者に対して有する権利（手三二条三項・七七条三項）・参加引受人に対する支払請求権（手五八条一項）・参加支払人が引受人または約束手形の振出人および被参加人もしくはその前者に対して有する権利（手六三条一項・七七条一項）の六つがこれに属する。

(2)　上述の権利に対して、手形の悪意取得者に対する手形の返還請求権（手一六条二項但書）・遡求通知の懈怠による損害賠償請求権（手四五条六項但書）・複本交付請求権（手六四条三項）・利得償還請求権（手八五条）等のごとく、手形法上認められた権利であって、しかも手形上の権利といえないものを手形法上の権利という。これらはいずれも手形関係の円満な進展のため間接的または附随的に認められたものである。

二　手形上の権利と証券との関係

手形上の権利は、手形なる証券に表彰せられこれに化体している。この場合証券は権利のために存在し、権利が主で証券が従たることはいうをまたないが、しかし有価証券の理想は、無形の権利を有形の証券に結合して、無形の権利関係をできるだけ有形の証券を基準とする法的取扱に従わしめようとするにあるから、そこでは主たる権利に従たる証券が働きかけて、本来債権に関する法律関係が種々の関係において物権法類似の形態において顕現することを特色とする。手形にあっても、原則として、証券を離れて手形上の権利を観念することはできず、手形上の権利は手形証券と不可分的な一体をなしている。それゆえ、手形上の権利を取得しようとする者は手形自体を取得することを要し、また反対に手形証券自体を取得する者は同時に手形上の権利を取得すると認められるのであって、手形上の権利の帰属は手形証券の帰属に従うともいえるのである。手形法一六条二項・民法八六条三項の規定はかかる見地においてのみ正当に理解することができる。もっとも、かような手形上の権利と証券との関係は手形法における理想であって、実際上はこれには若干の例外が認められることを忘れてはならない。すなわち、⑴手形上の権利が例えば債権譲渡・転付命令等の非手形法的方法により取得される場合、⑵とくに手形紙片自体が価値物である場合（例えば名画の裏面を手形として利用する場合）、⑶公示催告手続による除権判決があった場合等には、或いは手形証券が手形上の権利に追従し、或いは手形証券と手形上の権利とがそれぞれ別人に属し、或いは手形証券を離れて手形上の権利を行使することが認められる。

第二款　手形上の権利の取得

一　総　説

手形上の権利は、或いは原始的に或いは伝来的に取得される。伝来的取得については後に手形の流通として述べるところに譲り、ここには手形法一六条二項（手七七条一項）の定める原始取得（善意取得）について述べる。同条によれば、手形上の権利者が手形の占有を失った場合において、悪意または重大な過失なくしてその手形を取得した所持人は、これを返還することを要せず、有効に手形上の権利を取得するのである。手形にあってはその記載から何びとが手形上の権利者であるかを推測しうるから、その意味で手形は権利者たる外観を帯有するものといえるのであって、法は右の規定によりこの権利者たる外観に信頼して手形を取得した者を保護しようとしているのである。その趣旨は、動産の即時取得に関する民法一九二条と同様であるが、⑴軽過失があっても取得を妨げられない点、および⑵民法一九三条・一九四条のような制限がおかれていない点で、その要件はいっそう軽減されている。動産よりも強い手形の流通性が顧慮せられた結果であることはいうまでもない。

二　善意取得の要件

手形法一六条二項の規定する手形の善意取得の要件は、つぎのとおりである。

(1)　手形の取得　ここに手形の取得とは、手形上の権利を取得する目的で手形の占有を取得することをいう。そして善意取得の制度は、手形の流通を安全かつ容易ならしめることを目的とするものであるから、(ア)その占有は承継的に取得されたことを要する。例えば、遺失せられた手形の拾得のごとき原始取得の場合は、ここにいわゆる取得に含まれない。また(イ)その取得は手形に特有な流通方法による取得でなければならない。すなわち、裏書によるかまたは最後の裏書が白地式の手形の引渡による取得でなければならない。したがって、相続もしくは会社の合併のような包括承継または一般の債権譲渡の方法や転付命令などの特定承継による取得の場合には、善意取得は認められない。裏書の一種ではあるが、指名債権譲渡の効力しか有しない期限後裏書（手二〇条一項但書）の場合にも、善意取得の規定は適用されないとする見解が多い（一一八頁参照）。さらに(ウ)善意取得は外観に対する信頼の保護を目的とする制度であるから、占有は手形上の権利者たる形式的資格を具備する者（連続する裏書の最後の被裏書人、最後の裏書が白地式のときはその手形の占有者）から取得され、したがってまた取得者自身も形式的資格を具備することを必要とする。

(2)　無権利者からの取得　善意取得が認められるのは、手形が無権利者から取得された場合に限る。或いは無能力者・無権代理人・瑕疵ある意思表示をなした者からの取得についても善意取得を認める見解があるが、是認しがたい。手形の善意取得の制度は、裏書の連続により権利者たる外観を有する手形所持人から、その外観に信頼して手形を取得した者を保護しようとするものであるから、その保護は譲渡人が無権利者である場合に限られ、譲渡行為の瑕疵にまで及ぶものではないと解すべきである。そうでなければ、無能力者・無権代理行為の本人等の保護を目的とする法の趣旨は没却されざるをえない。一六条二項が「手形の占有を失いたる者ある場合に於て」というのも、無権利者からの取得の場合のみを救済する趣旨を示すものといえるであろう。

(3)　善意かつ重大な過失がないこと　善意かつ重過失（取引上必要な注意をいちじるしく欠くこと）のないことが譲渡人の無権利者（不正の所持人または正当な処分権のない者）であることについて存しなければならないことは、上述のところから明らかである。そして善意かつ重過失のないことは、手形取得の当時において、しかも自己の直接の譲渡人に対する関係において存すれば足りると解すべきであり、自己の直接の譲渡人より前に無権利者がいたことを知っていても、自己の譲渡人が権利者であると信じた場合には、手形上の権利を取得する。なお悪意または重過失あることの立証責任が手形の返還を請求する者の側にあることは、いうまでもない（手一六条一項参照）。

三　善意取得の効果

手形の取得者は前者が無権利者であるにかかわらず、手形上の権利を取得する。その結果、盗難・遺失その他の事由により自己の意思に反して手形の占有を失った手形上の権利者も、その権利を喪失するに至る。

なお上述の善意取得に関する手形法一六条二項の規定は、質入裏書および最後の裏書が白地式である手形の質入の場合における質権の取得についても、これを類推適用すべきである。

第三款　手形上の権利の行使

一　緒　　説

手形が完全にその経済的使命を果すためには、その表彰する債権の履行が確実でかつ強い流通性をもたなければならない。そのために手形上の義務はとくに厳格なものとされている。これを通常手形厳正という。手形厳正は、形式的厳正と実質的厳正とに分かたれる。前者は手形に特有な簡易かつ迅速な手形訴訟を指し、後者は学者により、或いは手形債務者の地位が一般の債務者に比して不利益なことを総称し、或いはこれを構成する特質のうちとくに手形債務の抽象性または手形抗弁の制限を指すものとされる。ここでは手形抗弁の制限について述べ、手形訴訟については後に述べるところにゆずる（七四頁）。

二　手形抗弁

(一)　総　　説

手形抗弁とは、手形義務者として請求を受けた者が、その請求者に対して提出しうべき抗弁をいう。債務の存在を前提としてその履行を拒否するところの狭義の抗弁のみに限らず、相手方の債権自体の存在を否定する広義の抗弁をも包含する。元来、権利の譲受人は譲渡人が有したよりも大きな権利を取得することはできなく、譲渡人に対抗しうべかりしすべての抗弁は譲受人にも対抗できるのが原則であるが、手形につきこの理論を貫くならば、手形の譲受人の地位はきわめて不安となり、手形取引の安全は阻害されざるをえない。手形がその外観に信頼して取引されうるためには、手形抗弁は必然的に制限されなければならない。手形法一七条（手七七条一項）はかような手形抗弁の制限を定めるものであって、手形が文言証券とされる法的基礎がこの抗弁の制限にあることは、既述のとおりである。

(二)　手形抗弁の種類

手形抗弁はこれを種々の観点から分類することができるが、手形債務者からすべての手形所持人に対抗しうる物的抗弁（絶対的抗弁）と、手形債務者から或る特定の手形所持人に対してのみ対抗しうる人的抗弁（相対的抗弁）とを分けて考察するのが適当である。けだし、手形法一七条が「手形に依り請求を受けたる者は振出人其の他所持人の前者に対する人的関係に基く抗弁を以て所持人に対抗することを得ず」というのは、右の区別を前提として、いわゆる人的抗弁につき規定しているものと見られるからである。もっとも、具体的にいかなる抗弁が物的抗弁に属し、またいかなるものが人的抗弁に属するかは同条からは知ることをえないのであって、手形債務者の保護と手形の流通保護なる二つの要請の比較考量のもとに、各個の規定の解釈によって決するほかない。

㈢　物的抗弁

これは、特定の被請求者からすべての手形所持人に対抗しうべき抗弁であって、すべての被請求者がこれをもって対抗することをうるかどうかとは関係がない。かような抗弁は、ひっきょう被請求者の手形上の義務そのものの存否または内容に関する抗弁でなければならない。そしてこれに手形行為の効力に関する抗弁と、手形の記載から生ずる抗弁とが区別される（独民七九六条参照）。

⑴　手形行為の効力に関する抗弁　　これは、被請求者の手形上の義務発生の原因たる手形行為そのものの効力を争う抗弁であって、例えば被請求者の手形行為が無能力の理由により取消されたこと、手形の偽造または変造があること、代理人が代理権を有しないこと、除権判決があったこと、手形が法定の要件を欠くこと等の事由がこれに属する。その多くは特定の被請求者の債務の客観的存在に関する事由であり、したがってその者にのみ属する抗弁であるが、手形要件の欠缺のようにすべての被請求者からすべての手形所持人に対抗しうるものもある。

⑵　手形の記載から生ずる抗弁　　上述の手形要件の欠缺の抗弁のほか、満期の未到来、時効の完成、代理人としての署名のみがあって本人の表示がないこと、手形に記載された支払・相殺・免除等の事由がこれに属する。これは手形の記載上明らかに認められる抗弁であるから、その多くはすべての被請求者からすべての手形所持人に対抗することができる。

㈣　人的抗弁

(1)　これは、手形上の権利そのものの客観的存在または内容には関係なく、手形債務者と特定の手形所持人との間の特殊の法律関係から生ずる抗弁である。㋐特定の手形所持人の権利を否定する事由、例えばその者の手形が拾得または盗取したものであること、裏書の連続がないこと等、㋑原因関係にもとづく事由、例えば原因関係たる売買が無効または取消されたこと、被請求者が所持人をして金銭の融通を得させることを目的として交付した融通手形であること、被請求者から所持人になした裏書は取立の目的に出たものであること等、㋒手形行為の瑕疵、例えば心裡留保・錯誤・詐欺・強迫等による手形行為であること、㋓手形上の権利は手形に記載されていない支払・免除・相殺等によって消滅したこと等の事由がこれに属する。右のうち㋐に掲げた抗弁は、特定の所持人にのみ対抗しうるものではあるが、当該所持人に対するかぎり何びとからでも対抗できるのであって、その点で物的抗弁に似ている。なお㋔自己の債権の支払確保のため約束手形の裏書譲渡を受けた手形所持人が、その債権の完済を受けたにもかかわらず、たまたま手形を返還せず、手形が自己の手中に存するのを奇貨として、振出人から手形金の支払を求めようとするがごときは、権利の濫用に該当し、振出人は所持人に対して手形金の支払を拒むことができる（最判昭四三・一二・二五民集二二—一三—三五四八）。同様に、AがBにあてて約束手形を振出し、BがこれをCに裏書譲渡した後になって、AB間の振出の原因関係およびBC間の裏書の原因関係がともに消滅した場合にも、振出人Aは手形所持人Cの手形金の支払請求を拒むことができるが（二重無権の抗弁、最判昭四五・七・一六民集二四—七—一〇七七参照）、これも権利濫用法理の発現を示すものである。そしてこれらはいずれも人的抗弁の一事例に属するものといえる。

(2)　特定の手形債務者と特定の手形所持人との間の人的関係にもとづく抗弁が、その手形の後の取得者に対してまでも対抗できるとするならば、譲受人は手形上に現われていない事由をもって対抗せられることになり、手形取引の円滑は到底期待できない。理論的にみても、手形債務者は手形に記載どおりの手形債権が存在するとの外観を作り出しているのであるから、手形所持人がその外観に信頼して手形を取得した以上、その信頼は保護されなければならない（商法の外観主義）。それゆえ法は、譲受人は譲渡人の有するより大きな権利を有しえないとする原則に例外を認めて、手形が第三者に譲渡せられるときは、人的抗弁は滌除されて、手形債務者はこれをもって譲受人に対抗できなくなるものとしている（手一七条・七七条一項）。これを人的抗弁の切断という。ただし、この原則は手形取引の安全の保護を目的とするものであるから、つぎの場合には適用されない。

(ア)　手形がその本来の流通方法によらず、例えば相続・会社の合併・債権譲渡・転付命令等により取得された場合

(イ)　手形が期限後裏書によって取得された場合（手二〇条・七七条一項）

(ウ)　隠れた取立委任裏書により手形を所持する場合

(エ)　所持人が債務者を害することを知って手形を取得した場合（手一七条但書）　この場合には抗弁の切断を生ぜず、債務者は譲渡人に対抗することをえた抗弁をもって譲受人たる所持人にも対抗することができる。人的抗弁の切断は手形取引の安全を目的とする制度であって、悪意者までも保護する理由はないからである。かように債務者を害することを知って手形を取得したとの抗弁を悪意の抗弁という。悪意の抗弁をもって対抗するためには、譲受人が債務者を害する意思を有したり、譲渡人と譲受人との間に抗弁切断の共謀があることは必要でないが、譲受人が単に抗弁の存在を知るのみでは足りなく、譲受人に債務者を害することの認識があることが必要であるとされている。しかし実際上は、譲受人が抗弁の存在を知っていたことの立証があれば足りるのが普通である。手形を取

得するのは手形上の権利を行使するためであるのが常であり、しかも抗弁の存在を知りながら手形上の権利を行使しようとする者は、これにより債務者を害することをも知るものと認められるからである。しかし、その者が手形の取得に当たり抗弁の存在を知っていても、自分が手形上の権利を行使しても債務者を害しないであろうと考え、かつそう考えたことに相当の理由があるときは、債務者を害することを知っていたものとはいえない。その意味で、手形債務者が抗弁を主張することは確実であるとの認識を有する場合が、債務者を害することを知る場合であるといってよい（最判昭三〇・五・三一民集九―六―八一一）。悪意の存否は手形取得の時を標準として決することを要し、債務者を害することを知らないことにつき重過失があっても抗弁切断の妨げとはならない（最判昭三五・一〇・二五民集一四―一二―二七二〇）。また直接の前者に対する抗弁の存在を知らないかぎり、それ以前の前者に対する抗弁の存在を知っていても、悪意の抗弁は認められない（最判昭三七・五・一民集一六―五―一〇一三）。

なお、約束手形の振出人が受取人をして他人から金銭の融通を得させる目的をもって振出す融通手形にあっては、振出人は受取人からその手形の支払を求められても、それが融通手形であることを理由として（融通手形の抗弁）支払を拒絶することができるが、その手形が第三者に譲渡され、その第三者から支払を求められた場合には、その者が融通手形であることを知って手形を取得したと否とを問わず、振出人は支払を拒絶しえないものといわなければならない（最判昭三四・七・一四民集一三―七―九七八）。これは融通手形の性質上当然のことであるといえる。融通手形にあっては、融通者と被融通者との間に、被融通者が、その手形の満期までに、手形を回収して融通者に返還するかまたは支払に必要な資金をこれに供給する旨の合意の存することが多いが、第三者がその合意の存在を知って手形を取得しただけでは、融通者たる振出人は悪意の抗弁をもってその第三者に対抗することはできない。これに反して、被融通者たる受取人が右の合意に反したのち、第三者がその事実を知って手形を譲受けた場合には、振出人は悪意の抗弁をもってこれに対抗することができる。二人の者が互に交換的に同一金額の融通手形を振出すいわゆる相落(あいおち)手形の場合も、右に述べたところとほぼ同様であって、相落手形という抗弁は直接の相手方には対抗できるが、第三者には対抗できない。しかし甲乙二人が融通手形を交換的に振出し、もしその一方が自己の振出した手形の支払をしなければ、他方も支払をしない旨を合意した場合に、かりに乙がその振出した手形の支払をしなかったときは、甲は右の合意および乙振出の手形の不渡の事実を知って甲振出の手形を取得した第三者に対しては、悪意の抗弁をもって対抗することができる（最判昭四二・四・二七民集二一―三―七二八）。

㈤　適用範囲

上述の手形抗弁の制限に関する一七条の規定は裏書の章中に存するが、それは単に裏書人にのみ関するものではなく、振出人・引受人・保証人・参加引受人等各種の手形債務者についてもひとしく適用される。

第四款　手形上の権利の消滅

一　消滅原因

(1)　支払（手三八条以下・七七条一項）・供託（手四二条・七七条一項）・免除・相殺・更改等の一般的債務消滅原因

これらの場合には、手形を受戻しておくかまたは手形にその記載をしておかないと（手三九条一項、三項・七七条一項三号）、手形債務者はその手形の善意の取得者に対しては債務の消滅を主張することができない。

(2)　参加引受による遡求権の消滅（手五六条三項）

(3)　権利保全手続の欠缺（手五三条・七七条一項）

(4)　時　効

二　時　効

手形取引の迅速な決済の必要と手形債務が債務者にとって厳格であることの緩和の必要から、手形債務についてはとくに短期の時効が認められている。

(1)　時効期間　(ア)手形の主たる債務者である為替手形の引受人または約束手形の振出人に対する債権は、満期から三年で時効にかかり（手七〇条一項・七七条一項・七八条一項）、主たる債務者の保証人（手三二条一項・七七条三項）および無権代理人（手八条・七七条二項）に対する債権についても同様である。そして手形関係者全員の同意により満期を変更するのでなく、単に手形債務者と特定の所持人との間の合意により支払猶予がなされたのみでは、時効は依然として満期から進行する。(イ)所持人の前者に対する遡求権は、拒絶証書作成の日から、もしその作成が免除されているときは満期から、一年で時効にかかる（手七〇条二項・七七条一項）。また(ウ)償還をした裏書人・保証人・参加引受人の前者に対する再遡求権は、手形の受戻をした日または訴を受けた日から六箇月で時効にかかる（手三二条三項・六三条一項・七〇条三項・七七条一項）。この場合時効は、後者から訴を提起され訴状の送達を受けた日から進行するが、訴を受けた裏書人が前者に対し訴訟告知（民訴七七条）をするときは時効の中断を生じ、裁判の確定した時からさらにその進行を始める（手八六条）。もしこのような時効の中断事由を認めないとすれば、裏書人はいまだ手形の受戻をしていないため、訴訟中に時効の中断をする手段がないから、訴訟が六箇月以上継続するときは、敗訴により償還を強制されるにかかわらず、再遡求権を有しない結果となるからである。(エ)保証人に対する債権の時効は、主たる債務者に対する債権の時効に同じ。(オ)参加引受人に対する債権の時効は、(イ)または(ウ)の場合に準ずる。参加引受人は償還義務を引受ける者たるにすぎないからである。

(2)　時効の中断　時効の中断事由については、上述の訴訟告知のほか手形法には別段の規定がないから、民法の規定による（民一四七条）。時効の中断はその中断事由が生じた者に対してのみ効力を生じ、他の者に対する中断とはならない（手七一条・七七条一項）。各手形債務がそれぞれ独立の債務たる当然の結果である。そして時効中断のための請求には、裁判上の請求たると裁判外の請求たるとを問わず、手形の呈示を要しないものと解しなければならない。権利の上に眠る者は保護しないという時効制度の趣旨から考えて、債務者を遅滞に付する場合と異なり、権利行使の意思が客観的に明確になれば足りるとすべきだからである（最判昭三八・一・三〇民集一七—一—九九。これ以前の最判は反対であった）。

(3)　各時効の間の関係　上述のように、主たる債務者に対すると債権と償還請求権とは各別の時効に服するから、各々独立してその効力を生ずる。この場合、償還請求権がまず時効によって消滅しても、主たる債務者に対する債権に影響を及ぼさないことは明らかであるが、反対に、主たる債務者に対する債権がまず時効にかかったときは、償還請求権も時効をまたないで消滅に帰するものといわなければならない。けだし、償還の請求は、健全な手形の返還とともにのみなさるべきものと解すべきだからである。

三　手形の抹消・毀損・喪失

(1)　抹消　手形の抹消とは、塗抹・削除・貼付その他の方法により手形上の記載を除去することをいう。すでに述べたごとく、手形上の権利は一定の方式を具備する証券の作成によってのみ発生するが、しかしいったん有効に成立した権利はその形式の破壊によって当然に消滅するものではない。その抹消が手形要件に関する場合でも同様である。このことは、法が手形の変造は変造前の署名者の責任に影響を及ぼさず（手六九条）、また手形を喪失した所持人は除権判決を得てその権利を行いうる旨（民訴七七七条以下）を認めることによっても明らかである。したがって、抹消が権限ある者により故意になされた場合には手形上の権利の消滅を認めなければならないが、そうでないかぎり、抹消は手形上の権利に影響を及ぼさないものと解しなければならない。ただし抹消があったときは、権利を行使しようとする者の方で、抹消が無権利者によって行われたことおよび抹消された文言を立証しなければならない。その抹消が手形要件に関する場合にも、手形の同一性が失われないかぎり、手形所持人は手形上の権利を行使するに当たり、手形が滅失したものとして公示催告による除権判決を得ることは必要でない。なお裏書の抹消については特別の規定があって、抹消した裏書は裏書の連続についてはその記載がないものとみなされている（手一六条一項三文・七七条一項）。この場合には、抹消が権限ある者によってなされたかどうかを問わず、裏書の連続についてはその記載がないものとみなされるのである。

(2)　毀損　手形の毀損とは、切断・磨滅など手形の物質的破損をいう。この場合も抹消について述べたところに準ずる。

(3)　喪失　手形の喪失とは、焼失などによる手形の物質的滅失のみならず、遺失・盗難・手形の同一性を害する程度の抹消・毀損等をいう。この場合においても、手形所持人は当然にその権利を失うわけではないが、証券の喪失により権利行使の手段を失い、実際上権利を行使することができないとともに、その手形が善意者の手に帰することによって手形上の権利を喪失するおそれがある。それゆえ、法はその救済手段として公示催告による除権判決の制度を認めている（民訴七六四条以下）。すなわち、盗取されまたは紛失もしくは滅失した手形の所持人は、手形に表示された支払地の簡易裁判所に公示催告の申立をなすことができる（民訴七七七条ないし七八〇条）。申立があると、裁判所は公示催告の公告をして、その手形の所持人に対し六月を下らない一定の期間内に権利の届出および手形の提出をなすよう催告し、また手形の無効宣言をなすべき旨を戒示する（民訴七八一条ないし七八三条）。そして所定の期間内に権利の届出をなす者がないときは、裁判所は除権判決をする（民訴七八四条）。除権判決があると、一方で、喪失された手形は手形としての効力を失い、支払人はこれに対して有効に支払をすることができなくなると同時に、他方で、手形を喪失した申立人は権利行使の資格を回復し、証券なくして手形上の権利を行使することができることとなる。そして約束手形に振出人として署名した者も、紛失または盗難により右手形が自己の意思に反して流通におかれたときは、公示催告および除権判決の申立をすることができる（最判昭四七・四・六民集二六―三―四五五）。

なお権利者が故意に手形を滅却したときは、権利の放棄または債務の免除があったものと見るべきで、手形上の権利は消滅する。

四　利得償還請求権

(一)　総　説

手形上の権利が時効または手続の欠缺によって消滅し、手形債務者が手形の支払をすることを要しなくなった場合に、なお手形の授受によって得た対価または資金を保持しうるとするならば、たとえ手形所持人に懈怠があったにせよ、実際上、手形債務者は手形所持人の損失において利得をすることになり、不公平たるを免れない。それゆえ法は、かかる場合には一定の要件のもとに、手形所持人であった者は、利得をした振出人・引受人または裏書人に対し、受けた利益の限度においてその償還を請求しうるものとしている（手八五条、第二附属書一五条）。これを利得償還請求権という。

(二)　利得償還請求権の性質

利得償還請求権は、或いは解せられるごとく、民法上の不当利得返還請求権でも損害賠償請求権でもなく、また原因関係上の権利でも、手形上の権利の残存物でもない。それは衡平の観念にもとづき手形の厳格性を緩和するために法の規定により認められた特殊の権利にほかならない。それゆえ、利得償還請求権については、(1)時効は手形の時効によらず、一般債権の時効（異論はあるが、商事時効〈商五二二条〉と解する〈最判昭四二・三・三一民集二一―二―四八三〉。或いは一歩を進めて三年の手形時効に服すると解することも、必ずしも不当ではないと思う）により、(2)譲渡は手形の裏書によるをえず、指名債権譲渡の方法により（大判大四・一〇・一三民録二一―一六七九）、(3)手形上の権利のために存した保証または担保は当然にはこの権利を担保しない。また(4)基本関係にもとづく訴または手形上の訴において敗訴したときでも、さらに利得償還請求の訴を提起することを妨げない。

㈢　権利者および義務者

利得償還請求権の権利者は、手形上の権利が消滅した時における正当な手形の所持人である。したがって、連続する裏書による手形所持人・後者に償還をして手形を回復した裏書人のみならず、これらの者から相続・合併・債権譲渡等によって手形を取得した者をも包含する。義務者は振出人・引受人または裏書人のいずれかである。

㈣　利得償還請求の要件

(1)　請求者が手形上の権利者であったこと　　請求者は本来正当な手形の所持人であって、時効または手続の欠缺さえなくば手形上の権利を有する者であることを要する。それゆえ被請求者は、請求者の手形上の請求に対して対抗しうべかりしすべての抗弁をもって対抗することができる。例えば、請求者の手形上の権利の取得を妨げる事由があったこと、手形債務につき免除があったことなどがこれである。なお裏書の連続を欠く手形の所持人であっても、実質上手形上の権利者であることを証明すれば、利得償還請求権を行使することができ、また請求者が時効完成の当時盗難・遺失等により手形の所持を失っていても、手形上の権利を喪失していないかぎり、利得償還請求権の発生は妨げられないと解すべきである（二一一頁参照）。

(2)　手形上の権利の消滅　手形上の権利が時効または手続の欠缺によって消滅したことを要する。この点では、利得償還請求権を手形上の権利の変形物であるとする見地から、利得償還を請求しようとする相手方に対する権利が消滅すれば足りるとする説が有力であるが、利得償還請求権が手形上の権利消滅の場合における最後の救済手段であることから考えると、原則として手形所持人がすべての義務者に対して手形上の権利を失ったことを要するものと解すべきである。もっとも、引受人が無資力で事実上取立不能な場合には、制度の趣旨から見て、引受人に対する手形上の権利は消滅していなくとも、振出人に対して利得償還を請求することを妨げないと解すべきであろう。また所持人が別に原因関係にもとづく請求権を有しまたは一般民法上の請求権を有するなど、他に法律上の救済方法がある場合にも、つぎに述べる利得の要件を欠くから、利得償還請求権を生じないものといわなければならない。なお所持人が手形上の権利を失った以上、その手形を無償で取得した場合にも利得償還請求権を生ずる。

(3)　振出人・引受人または裏書人が利得をしたこと　いわゆる利得とは、手形授受の基本関係において現実に財産上の利益を受けたことをいい、対価として積極的に金銭を取得した場合であると、消極的に義務を免れた場合であるとを問わない。ただし、単に手形上の義務を免れたというだけで直ちに利得があるとはいえない。振出人についていえば、受取人より対価として金銭を受けまたは受取人に対する債務の支払に代えて手形を振出し、しかも手形上の権利が消滅した結果、その手形の支払を要しなくなり（約束手形の場合）または資金を支払人に供給することを要しなくなったとき（為替手形の場合）は利得があり、引受人についていえば、資金を得てしかもこれを振出人に返還することを要しなくなったときは利得がある。また裏書人についていえば、後者から原因関係上対価を得ても、前者に対し原因関係上対価を支払っているのが普通であるから、いわゆる利得をしないのが通常であるが、しかし自己の計算において他人に手形を振出してもらった受取人が（委託手形の場合）対価を得てこれを裏書し、しかも手形上の権利が消滅した結果資金を供給することを要しなくなったときは、裏書人たる受取人に利得があることとなる。

㈤　利得償還請求権の内容

振出人・引受人または裏書人は、その受けた利益の限度において返還することを要する。受けた利益が現存すると否とは問わなく、この点で民法の不当利得と異なる（民七〇三条参照）。

㈥　立証責任

利得償還の請求をなすには、権利者において前述の権利発生の要件のすべてを立証することを要し、単に手形上の権利者であったことの立証のみでは足りなく、また債務者が受けた利得の額をも証明しなければならない。

第四節　手形の実質関係

第一款　緒説

手形関係は抽象的な法律関係であるが、しかしその背後には常に手形外においてこれを生ぜしめるに至った何らかの原因が伏在している。この関係を手形の実質関係または基本関係という。実質関係は手形関係とは別個独立のものであるが、しかしこれと密接な関係を保持している。そして手形の実質関係のうち、手形授受の直接の当事者間の関係を原因関係といい、手形支払の資金に関して手形債務者間に生ずる関係を資金関係という。また手形を授受するにはこれを準備する法律関係のあるのが常であって、これを手形予約という。

第二款　手形予約

振出または裏書によって手形を授受するには、これに先だち当事者間で、授受さるべき手形の種類・金額・支払地・支払人・満期等を定め、またなさるべき裏書の種類・対価等について協定するのを常とする。かかる手形関係の設定を準備する契約を手形予約という。手形予約は原因関係と手形関係との中間にあって、これを媒介する法律関係である。手形予約は明示または黙示の意思表示をもってなされることができ、また書面によると口頭によるとを問わない。実際上は原因関係の従属的部分として存在することが多い。手形予約により当事者の一方は約定された条件に適合する手形行為をなす義務を負うが、これも手形関係とは別個の関係である。手形予約に違反してなされた手形の振出または裏書も完全に有効であって、手形予約違反は当事者間の人的抗弁事由となるにすぎない。

第三款　原因関係

一　意　義

振出または裏書によって手形を授受するには、授受をなすべき法律上の原因があるのが常である。かような手形授受の原因をなす法律関係を原因関係という。手形の授受には反対給付すなわち対価の存するのが通常であるから、これを対価関係ともいう。原因関係の種類は千差万別でそのすべてを列挙することはできないが、債務の弁済・手形上の権利の売買（手形割引の場合）・信用の授与（融通手形）・債務の取立委任・債務の保証または担保等が最も普通の例である。

二　原因関係と手形関係との間の関係

上述のように手形の授受は何らかの原因関係にもとづいてなされるが、法律は技術的に手形関係と原因関係とを切り離しており、手形関係は原因関係の存否または有効無効によって影響を受けることなく、これとは独立して存在するものとされている。それゆえ手形が無因証券とよばれることは、既述のとおりである。

かように手形関係と原因関係とは分離されているが、しかしそれは絶対的なものではなく、両者の間にはなお或る範囲における牽連が認められる。

(一)　原因関係が手形関係に及ぼす影響

これは、いわゆる人的抗弁の制度に現われている（手一七条・七七条一項）。上述のごとく手形は無因証券であって、手形関係は原因関係の存否または有効無効により直接影響を受けないが、この手形の無因性は手形の取得者を保護し、手形流通の円滑をはかろうとする趣旨に出たものであるから、手形授受の直接の当事者間では、このような原因関係にもとづく事由を主張することを認めて差支えないのみならず、かえってそれが必要である。もし直接の当事者間で手形関係の独立を強行するならば、いったん手形の支払をしたのち、再び不当利得としてこれを取戻すといった二重の手続を要することとなるのみならず、手形を違法行為の隠蔽手段として濫用する弊を助長することとなるだけである。法が直接の当事者間において原因関係にもとづく事由を人的抗弁と認めるのは、このゆえにほかならない。

(二)　手形関係が原因関係に及ぼす影響

手形が原因関係における目的を達するための手段として授受される以上、手形関係が原因関係に対して何らかの影響を及ぼすことは当然でなければならない。その影響は原因関係における目的の異なるに従って異ならざるをえないが、原因関係における目的が、保証のように相手方に対して手形債務を負担するにある場合、手形の贈与または売買（手形割引の場合）のように相手方をして手形上の権利を取得させるにある場合には、手形関係の成立によって直ちに原因関係上の目的は達せられることとなるから、多く問題を生じない（瑕疵担保の問題のごときは残るが）。これに反して、例えば売買代金債務の弁済の目的で約束手形の振出または裏書をする場合のように、手形の授受が当事者間の既存債務の履行の目的をもってなされる場合には、問題はそう簡単ではない。それゆえ、手形関係が原因関係に対していかなる影響を及ぼすかの問題は、通常この場合について論ぜられる。およそ既存債務の履行に関連して手形が授受される場合に、つぎの三つの場合が区別されうる。

(1)　既存債務の支払としてまたは支払に代えて手形を授受する場合　　この場合には、債権者が新たに手形債権を取得すると同時に既存債務は消滅し、特約がないかぎり、既存債権のための担保や保証等もその効力を失うものと解すべきである。かように手形の授受が既存債務を消滅せしめる場合における旧債務消滅の原因については、更改説・代物弁済説・そのいずれであるかは当事者の意思によるとする説等がある。異論の余地がないではないが（民五一三条参照）、更改は有因契約であって手形行為の無因性と相容れないから、代物弁済と解するのが正当である。なお、代物弁済により既存債権が消滅した後に手形が不渡になっても、代物弁済が効力を失い、既存債権が当然に復活するものではない。

(2)　既存債務の支払（確保）のためまたは支払の方法として手形を授受する場合　　この場合には、手形の授受により既存の債権債務は直ちに消滅することなく、既存債権と手形債権とは並存し、手形上の義務が履行されたときに初めて既存債権もまた目的の到達によって消滅する。債権者が満期をまたないでその手形を他に譲渡して対価を取得した場合（割引）にも、既存債権は直ちに消滅することなく（最判昭三五・七・八民集一四―九―一七二〇）、債権者が手形の譲渡によって得た対価を失うおそれがなくなったときに、初めて消滅するものと解すべきである。そして既存債務の支払確保のために手形を授受する場合において、その手形が原因関係上の債務者以外の者によって支払わるべき形式のもの（為替手形または第三者方払の約束手形）であるときは、当事者間にまず手形債権の行使によって満足を求むべき旨の合意があるものと認むべきであって、債権者は手形を呈示してその引受または支払の拒絶があった後でなければ、既存債権を行使することをえないものと解しなければならない（反対、最判昭二三・一〇・一四民集二―一一―三七六）。ただし、手形債権につき訴訟によって支払を強制するまでの必要はない。なお、債権者が原因関係上の債権を行使するには債務者に健全な手形を返還することを要し（同時履行の関係にある）、したがって時効または手続の欠缺により手形上の権利を喪失したときは、これにより債務者に別段の損失を生じないことを証明するのでなければ、既存債権を行使することはできないものと解しなければならない。

(3)　既存債務の担保のために手形を授受する場合　　この場合にも、もちろん既存債権と手形債権とは並存する。加うるに、ここではまず担保によって満足を得なければならないという理由はないから、債権者は既存債権と手形債権とのいずれをも任意に選択して行使することを妨げない。ただ既存債権を行使するには、手形を返還しなければならない。

上述のように、既存債務に関して手形が授受せられる目的は種々でありうるが、当事者間に格別の意思表示がないかぎり、第二に掲げた支払確保のためにこれを授受したものと推定すべきである。けだしかく解することが、合理的に考えて、最もよく当事者の意思に合しかつ最も公平な結果をもたらすからである。もっとも手形貸付の場合のように、授受された手形が約束手形で、しかも債務者たる振出人以外に手形上の義務者がない場合には、第三の既存債務の担保のために手形を授受したものと解するのが、かえってよく当事者の意思に合するものといわなければばならない。

なお、既存の手形債務に関して新手形が振出される場合を手形の書替または切換といい、実際界においては手形の支払延期の目的をもってしばしば行われるところである。この場合の新手形を延期手形という。これに、旧手形が回収されてその代わりに新手形が交付される場合と、新旧両手形とも債権者の手中に保持される場合とがあり、前者が普通である。旧手形を回収して新手形を発行する場合、新手形と旧手形とは法律上は全く別個の手形であるが、実質的には両者は同一性を有するから、それに即した法律関係が認められ、また後の場合すなわち新旧両手形が並存する場合には、旧手形については新手形の満期まで支払が猶予されたものと解せられ、旧手形は新手形が決済されるまでその担保として保持されるものと認められることは、後に述べるとおりである（一三四頁）。

第四款　資　金　関　係

一　意　義

資金関係とは、為替手形の支払人と振出人その他の資金義務者との間に存する関係、すなわち為替手形の支払人が手形の引受または支払をなす原因たる法律関係をいう。資金義務者は通常は振出人であるが、振出人が他人の委託によりその者の計算において手形を振出したときは（委託手形の場合）（手三条三項）、委託者たる第三者が資金義務者である。資金関係は為替手形と同様小切手についても存するが、約束手形にあっては振出人自身が支払義務者であるから、資金関係は問題とならない。

二　態　様

資金関係の最も普通の場合は、振出人が支払人に対して手形の支払を委託し、あらかじめその支払に必要な金銭を供給しておく場合であるが、支払人が支払をしたのち振出人に対して補償を求める場合もある。この場合をとくに補償関係という。またとくにかかる金銭の授受をなすことなく、支払人がその既存債務の弁済をするためまたは預金債務・当座貸越契約等にもとづいて引受または支払をなし、時にはこのような関係はなくとも振出人を信用してこれをなす場合もある。

右によって知りうるように、資金関係の性質は委任・事務管理など当事者間の実質関係によって定まり、必ずしも一定していない。いずれにしても、手形に記載された支払委託（手一条二号）が委任契約の申込であり、引受がその承諾となって、常に委任関係が成立するとなしえないことはいうまでもない。それは、振出が偽造その他の事由によって実質的に無効である場合にも、引受がなされればなお独立してその効力を生ずることから見ても明らかである。なお資金関係があっても、支払人は引受をしない以上、支払をなすべき手形上の債務は負わないが、手形外で振出人に対し債務不履行の責任を負うことはいうまでもない。

三　資金関係と手形関係

資金関係と手形関係とは全く別個の関係である。資金なくしてされた手形の振出または引受も有効であり、また振出人は資金を供給した後でも、振出人としての手形上の義務を免れないし、支払人も引受をした以上資金を受けないからといって、手形の支払を拒みうるものではなく、反対に資金を受けても、引受をしないかぎり手形上支払の義務を負うわけではない。

四　準資金関係

支払人と振出人または委託者との間に存する資金関係類似の関係は、引受人と支払担当者、保証人と主たる債務者、参加支払人と被参加人等の間にも存在する。これを準資金関係という。

第五款　荷為替手形

一　意義および性質

荷為替手形とは、物品の売主が買主を支払人として振出した為替手形であって、運送中の物品につき発行された運送証券（船荷証券または貨物引換証）によって担保されているものをいう。それゆえ、荷為替手形という特殊の手形があるわけではなく、手形としては普通一般の為替手形であって、すべて手形法の規定に服する。隔地売買において、売主が売買代金を手形金額とし買主を支払人としてこれを振出すことにより、代金取立のために利用される。売主は自己の取引銀行においてその手形の割引を受けることにより、即時に代金の回収をなしうるのみならず、買主をして代金の支払と引換にのみ商品を取得することをえしめて、代金不払の危険をも免れることができる。

二　運送証券に関する法律関係

荷為替手形の振出人は、或いは自己の取引銀行においてその手形の割引を受け（割引荷為替）、或いは取引銀行にその手形の取立を委任する（取立荷為替）のであるが（荷為替の取組）、割引に当たっては振出人は自己を荷受人とする運送証券に裏書（多くは白地裏書）をし、手形に添えてこれを銀行に交付するのが本則である。これは手形上の権利を担保するためであって、証券の交付は運送品の上に質権を設定する目的のこともあり、また運送品の信託譲渡を目的とすることもある。そのいずれであるかは当事者間の合意（荷為替約定書または担保差入証）によって定まる。合意のない場合には動産質の設定であるとするのが判例であるが、むしろ信託譲渡と解すべきであろう。なお実際には、割引を受けるにあたり、振出人は買主を荷受人とする運送証券を裏書しないで単純に割引銀行に交付することがある。この場合には、当事者間の合意のいかんにかかわらず、証券上の権利者は買主たる荷受人たるべきであるから、銀行は質権を取得することはできなく、単に手形の引受または支払があるまで証券を留置して、間接に支払を強制しうるにすぎない。

三　目的物の所有権の移転

特定物の売買においては、通常売買の目的物の所有権は契約の成立と同時に買主に移転すると解されているが、荷為替付売買にあっては、買主が手形の支払と引換に運送証券を取得するまでは、かかる所有権移転を生じないものと解すべきである。それまでは運送品の所有権は、割引銀行による証券の取得が動産質の取得であるときは振出人たる売主に、またそれが運送品の信託譲渡であるときは割引銀行にあるものとする。しかし、運送証券の荷受人が買主であるときは、買主は売買契約の成立と同時に目的物の所有権を取得し、運送証券の取得はその第三者に対する対抗要件たるにすぎない。

四　荷為替所持人の担保の実行

荷為替手形の割引をした銀行は、これを支払地の支店または取引銀行に送付してその取立をなし、支払人が引受または支払をしたときは、これに運送証券を交付する。これに反して、銀行が手形の引受または支払を得ないときは、その証券により運送品を処分して手形の支払に充当し、または手形により売主に対して償還請求をすることができる。また銀行が荷為替手形の取立を委任されたのにとどまる場合には、手形の支払を受けたときは、その金額を売主に交付し、手形の支払が拒絶されたときは、手形および運送証券を売主に返還する。

五　商業信用状付取引

右に述べたように買主を支払人として手形を振出す場合には、遠隔地における買主がはたして信用のある者か否かわからないし、運送証券の効力も絶対的なものではないから、銀行においてその手形の割引を受けにくいのを免れない。そこでこのような場合には、売主はあらかじめ買主に対して商業信用状（荷為替信用状）の送付を求めるのが普通である。この信用状は、買主の取引銀行が、その名宛人である売主および手形の受取人となった不特定の銀行に対して、信用状の記載と合致した手形の引受および支払をなすことを約束した書面である。売主はこれにもとづき、買主ではなくして右の銀行を支払人とする為替手形を振出し、これに信用状を添えて自己の取引銀行においてその割引を受けることにより、速かに売買代金の回収をはかることができるのである。

第五節　手形訴訟

一　緒　説

手形訴訟（以下、小切手訴訟（民訴四六三条）をも含めて手形訴訟という）は、手形および小切手による金銭の請求につき、これに関する訴訟を簡易迅速に処理し、債権者をして速かに債務名義を得させることを目的とする特別訴訟手続である。昭和三九年法律第一三五号をもって設けられた制度である（民訴第五編ノ二「手形訴訟及小切手訴訟ニ関スル特則」、なお、かつてわが民事訴訟法は「為替訴訟」の制度を認めていたが、大正一五年の同法の改正により廃止された）。手形および小切手は売買・貸借等の実質関係の決済の手段として利用されるものであるから、迅速な権利実現に対する要求がとくにつよく、かつ実際上も手形金の請求訴訟においては原告の勝訴率がきわめて高く、訴訟を遅延させているのは実質関係における人的抗弁であることにかんがみて認められたものである。この手形訴訟の主な特色としては、(1)証拠が書証に限定されていること（民訴四四六条）、(2)勝訴判決には裁判所は職権をもって仮執行の宣言をつけなければならないこと（民訴一九六条二項）、(3)手形訴訟の終局判決に対しては原則として控訴をなしえないこと（民訴四五〇条）をあげることができる。このような手形に特有な簡易迅速な訴訟手続が形式的手形厳正とよばれることがあるのは、先に述べたとおりである（五二頁）。

二　手形訴訟の概要

(1)　手形訴訟によることができるのは、手形または小切手による金銭の支払の請求、および、これに附帯する法定利率による損害賠償の請求を目的とする給付の訴えに限る（民訴四四四条一項・四六三条一項）。その訴えの管轄裁判所は、通常の訴訟の場合と同様である。手形訴訟によるかどうかは、原告の任意であるが、手形訴訟による審理および裁判を求める場合には、その旨の申述を訴状に記載しなければならない（民訴四四四条二項・四六三条一項）。しかし手形訴訟の原告は、口頭弁論の終結に至るまで、被告の承諾を要しないで、訴訟を通常訴訟手続に移行させる旨を申立てることができる（民訴四四七条・四六三条一項）。

(2)　手形訴訟においては、証拠は原則として文書のみに限定され、原告の主張事実も被告の抗弁事実もその立証は書証によることを要し、ただ例外的に文書の真否または手形の呈示に関する事実についてのみは当事者訊問が許される（民訴四四六条・四六三条一項）。また手形訴訟にあっては、同じく手形上の請求を目的とするものであっても、反訴の提起は許されない（民訴四四五条・四六三条一項）。反訴の提起により、手続が複雑化し、訴訟が遅延するのを防止するためである。

(3)　手形訴訟で審理した結果の終局判決（手形判決）が、手形上の請求を認容しまたは棄却するものであるときは、これに対しては控訴をすることはできないが（民訴四五〇条本文・四六三条一項）、当事者のいずれからも異議を申立てることにより、訴訟を第一審の通常手続に移行させることができる（民訴四五一条一項・四五六条・四六三条一項）。なお、請求認容の手形判決または小切手判決については、裁判所は職権をもって、担保を供せずして、仮執行の宣言をつけなければならない（民訴一九六条二項）。終局判決が、訴えが手形訴訟に特有な要件を欠くことによりこれを却下するものであるときは、控訴も異議の申立もできない（民訴四五〇条・四五一条・四六三条二項）。これに反して、手形判決が、訴えが一般の訴訟要件を欠くことにより、これを却下するものであるときは、当事者は控訴によって不服を申立てることができる（民訴四五〇条但書・四六三条二項）。そして控訴審が原判決を取消す場合には、事件を第一審裁判所に差戻すことを要し（民訴三八八条）、その結果手形訴訟の復活を見ることとなる。

第三章　為替手形

第一節　振　出

第一款　手形要件

一　総　説

(一)　緒　言

為替手形は、振出人が支払人に宛てて、受取人その他手形の正当な所持人に対し一定の金額の支払をなすべきことを委託する証券である。したがってここでは、振出人みずからが手形金額支払の義務を負う約束手形と異なり、手形上の当事者として振出人および受取人のほかに支払委託を受ける支払人がいることに特色がある。この為替手形の振出は、振出人が手形なる証券を作成し、これを受取人に交付することによって行われる。手形を作成するには、振出人が証券に法定の事項を記載し、かつこれに署名しなければならない（手一条）。この事項および振出人の署名を手形要件といい、このようにして振出された手形を基本手形という。それは爾後の手形関係の基礎をなすものだからである。手形要件が法定され、手形の定型的外観が必要とされているのは、手形が多数人間を流通するためには、その証券が手形であるかどうか、いかなる種類および内容の手形であるか、が一見して明らかであることを要するからである。

㈡　手形要件の記載

手形証券の材料・要件記載の材料・用語・文字・体裁・記載の時の前後等には別段の制限はない。また書損じの訂正・誤字・脱字・文法上の誤謬があっても、その意味を了解しうるかぎり差支えない。ただしその記載は、全体の関連において一個の支払委託の意思表示を構成していなければならない。また振出人の署名を除き、その記載は何人がいかなる方法によってなしても差支えないが、実際上は不動文字をもって印刷した手形用紙を用いるのが常であり、現在は統一手形用紙が一般に用いられていることは、さきに述べたとおりである（三頁参照）。

㈢　手形要件の欠缺

手形は厳格な要式証券であって、手形要件に一つでも欠陥があるときは手形は無効となるが、ただ一部の事項については、その記載が欠けていても手形が無効にならないように救済規定がおかれている（手二条二項以下）。手形要件を欠くため手形が無効となるときは、その手形上になされた裏書・引受・保証等の手形行為もすべてその効力を生じない。これらの手形行為はいずれも、基本手形の記載を自己の意思表示の内容とするものであって、基本手形の記載は同時にこれらの手形行為の内容をなしているからである。そして手形が要件を具備するかどうかは、もっぱら手形の記載によって判断することを要し、手形外の材料をもって補充することはできない。また手形の記載上手形要件を具備するかぎり、それが事実と符合するかどうかは問わない。けだし、手形の取得に当たり、一々記載事項が真実に合致するかどうかを調査することを要するものとすれば、手形取引の円滑は期待しがたいからである。なお手形がその要件を欠いて無効な場合には、後日所持人がこれを補正しても振出の効力が追完されるものではない。

手形がその要件を欠くため振出が無効な場合において、他の種の有価証券、例えば通常の指図証券としての形式を具備するときは、その種の証券として効力を有するかというに、無効行為の当然の転換を認めないわが法律の解釈としては（独民一四〇条参照）、これを否定するのが通説である。当事者があらかじめその旨を手形に記載しておいた場合（万効手形）には、それが他の証券としての形式を具備しているかぎり、その種の証券としての効力を認めてもよいであろう。

(四)　印紙の貼用（印紙税法二条・別表第一第三号）

これは手形要件ではなく、印紙の貼用がなくとも手形としての効力には影響はない（ジュネーヴ印紙法条約第一条参照）。

(五)　手形の交付

振出が成立するためには、手形要件を具備する手形が振出人から受取人に交付されることを要する。かかる手形が盗難・紛失等振出人の意思にもとづかないで流通におかれた場合（いわゆる交付契約欠缺の場合）は問題であるが、その手形が第三者の手中にあるときは、交付があったと認むべき外観があり、その外観に対する第三者の信頼は保護されなければならないから、振出人は連続した裏書のあるその手形の所持人に対しては、その者が悪意または重大な過失により手形を取得したことを主張・立証しないかぎり、手形上の責任を免れないものと解すべきである（最判昭四六・一一・一六民集二五―八―一一七三）。

二　各個の手形要件（必要的記載事項）

(一)　為替手形文句（手一条一号）

「為替手形なることを示す文字」の記載を必要とするのは、取得者が一見して為替手形であることを識別することができるようにするとともに、署名者に手形署名の自覚を促そうとするにある。記載の場所は条約の原文によれば手形本文中（dans le texte même）となっているから、為替手形の中核をなす支払委託文言中に記載することを要し、標題としての記載では足りない。これは変造・切取り等の防止を目的とするもので、既述の統一手形用紙も手形文句を本文中に記載している。しかし、記載場所をかように制限することは実益に乏しく、むしろわが国の従前の慣例であった標題としての記載を認めるのが適当であろう。用語は振出地の国語たることを必要としないが、支払委託文句の記載に用いられた国語をもって表示しなければならない。

(二)　手形金額および支払委託文句（手一条二号）

(1)　手形金額　　手形債権の目的は金銭であることを要し、物品手形は認められない。しかし外国通貨による表示（米貨二千ドルなど）でも差支えない。手形金額は一定することを要し、不確定的な記載または選択的記載（二十万円又は三十万円など）は手形を無効とする。手形金額記載の場所には制限はない。利息文句の記載は一覧払または一覧後定期払手形についてのみ認められ、その他の手形については記載がないものとみなされる（手五条一項）。これらの手形についてはとくに利息文句の記載を認める実際上の必要がないからである（すなわち、あらかじめ満期日までの利息の計算ができるから、これを手形金額に加算しておけばよい）。利息文句には利率を表示することを要し、その表示がないときは、利息文句は記載がないものとみなされる（手五条二項）。そして利息は、別段の記載がないときは、振出日附から発生する（手五条三項）。利息文句と異なり、違約金の記載は手形上の効力を生ぜず、またかかる記載により当然に振出人と所持人との間に手形外における違約金の契約を生ずるものでもない。なお手形金額が金額欄と欄外など数箇所に文字および数字をもって記載され、または文字もしくは数字をもって重複して記載された場合において、その金額に差異があるときは、前の場合には文字をもって記載した金額を手形金額とし、後の場合には最小金額をもって手形金額とする（手六条）（最判昭六一・七・一〇民集四〇―五―九二五は、金額欄に文字で「壱百円」と記載され、その右上段に数字で「￥1,000,000―」と記載されている約束手形の手形金額は、一〇〇円と解すべきものとしているが、疑問の余地があるのを免れない）。

(2)　支払委託文句　これは手形要件の核心であり、法律のいわゆる「其の証券の作成に用うる語」（手一条一号）とは、支払委託文句の記載に用いる国語の意味である。支払委託は単純であることを要し、支払に条件を附し（例えば「工事完成の際に」）または支払方法を限定する（例えば「売買の目的物と引換に」）ときは、支払委託の単純性を害し手形を無効ならしめる。

㈢　支払人の名称（手一条三号）　支払人は、振出人により手形の支払をなすべき者として定められた者であり、為替手形の名宛人である。支払人の表示は、手形要件としては形式的に支払人の名称と認むべき記載があれば足り、その者が実在するかどうかを問わない。また特定人の表示としては、一般取引の見解に従いその者を指示すると認めうる程度の記載があれば足り、必ずしも氏名または商号に限らず、通称・雅号・芸名等でも差支えない。会社の場合はその商号のみの記載で足り、代表者名の記載は必要でない。支払人は重畳的に数人であっても差支えないが、選択的または順次的記載は原則として許されない。ただ選択権が手形所持人にある場合には、選択的記載も妨げないと解すべきである。なお、支払人と振出人とは別人であるのが普通であるが、振出人が自己を支払人と定めることも妨げない（手三条二項）。これを自己宛手形という。例えば、本店が支店を支払人として手形を振出す場合のごときである。

㈣　満期の表示（手一条四号）

(1)　満期とは、手形の記載上手形金額の支払がなさるべき時期をいい、満期日または支払期日ともいわれる。満期は通常「支払を為すべき日」（手三八条一項）と一致するが、満期が休日（手八七条、国民の祝日に関する法律）の場合には、これに次ぐ第一の取引日が「支払を為すべき日」である（手七二条）。また満期は支払を求めうる唯一の日でもない（手三八条一項参照）。

(2)　満期の記載が適法であるがためには、まず(イ)可能な日でなければならない。振出日附に先だつ日または暦日上存在しない日の記載は手形を無効とする。ただし四月三十一日の記載のごときは四月末日の意に解すべきであって、手形を無効とすべきではない（最判昭四四・三・四民集二三—三—五八六参照）。つぎに、(ロ)満期は一定しかつ手形金額の全部について単一でなければならない。それゆえ、自分が相続する日というような不確定の満期、または手形金額の一部分ずつにつき別々の満期を記載すること（分割払手形）は許されず、手形は無効となる（手三三条二項）。

(3)　満期の態様にはつぎの四種がある（手三三条）。

(イ)　確定日払　これは、何年何月何日・平成何年大晦日というように確定の日を満期とするものである。月の始め・月の央（なかば）（一月の央・二月の央等）または月の終りをもって満期を定めたときは、その月の一日、一五日または末日をいう（手三六条三項）。振出地と暦を異にする地において確定日に支払うべき手形については、手形の文言または証券の記載から別段の意思を知りえないかぎり、満期の日は支払地の暦によって定める（手三七条一項、四項）。

(ロ)　日附後定期払　これは、振出の日附から手形に記載された一定の期間を経過した日を満期とするものである。期間の計算について手形法はとくにつぎの規定を設けているが、手形法に規定のない点は民法の規定による。

期間にはその初日を算入せず（手七三条）、日附後一月または数月払の手形は、支払をなすべき月における応当日を満期とし、応当日がないときはその月の末日を満期とする（手三六条一項）。日附後一月半または数月半払の手形については、まず全月を計算する（手三六条二項）。半月とは一五日の期間をいい（手三六条五項）、八日または一五日とは一週または二週ではなくして、満八日または満一五日をいう（手三六条四項）。暦を異にする二地間で振出された手形が日附後定期払であるときは、原則として振出の日を支払地の暦の応当日に換えて満期を定める（手三七条二項、四項）。

(ハ)　一覧払　これは、支払のため手形の呈示があった日を満期とするものである。ここでは満期の到来が手形所持人のなす支払の呈示にかかるから、手形債務者が不当に長く拘束されることがないようにするため、法はこの種の手形はその振出日から一年内に支払の呈示をなすことを要するものとしている。もっとも、振出人はこの期間を伸長しまたは短縮することができるし、裏書人はこれを短縮することができる（手三四条一項）。そして振出人の定めた呈示期間はすべての手形関係者に対して効力を生ずるが、裏書人の定めた期間はその裏書人に限り援用することができる（手五三条三項、三項）。なお、振出人は一定の期日前または振出日附から一定の期間内における一覧払手形の支払の呈示を禁ずることができ（定日後一覧払または定期後一覧払）、この場合には上述の呈示期間はその期日またはその期間の末日から始まる（手三四条二項）。暦を異にする二地間で振出された手形の呈示期間は、原則として前述の三七条二項の規定に従って計算する（手三七条三項、四項）。

(ニ)　一覧後定期払　これは、引受のためにする手形の呈示があった後、手形記載の一定の期間の経過した日を満期とするものである。この場合にも満期の到来は手形の呈示にかかるから、法は振出日附から一年の呈示期間を定めた（手二三条一項）。この期間は振出人は伸縮し、裏書人は短縮することができる（手二三条二項、三項）。右の呈示期間内に呈示があった場合には、その手形の満期は、(ア)引受があったときは引受の日附を、また(イ)引受を拒みまたは日附を記載しないで引受をしたときは、引受拒絶証書または引受日附拒絶証書の日附をそれぞれ初日として定める（手三五条一項）。また(ウ)支払人が引受をしたがその日附を記載しない場合において、拒絶証書を作らせなかったときは、裏書人および振出人に対する関係においては遡求をすることはできないが（手二五条二項）、引受人に関するかぎり、引受のための呈示期間の末日に引受をしたものとみなして満期を定める（手三五条二項）。期間の計算方法は、日附後定期払の手形について述べたのと同じ（手三六条・七三条）。

(4)　満期の態様は上述の四つに限られ、これと異なる満期を記載した手形は無効である（手三三条二項）。しかし満期の記載は絶対的要件ではなく、満期の記載のない手形は一覧払のものとみなされる（手二条二項）。満期の記載のない場合とは、三三条二項との関係上満期が全然記載のない場合をいい、不適法な満期の記載のある場合を含まない。手形用紙の満期の記載欄を塗抹することなく空白のまま残した手形は、当事者が所持人にこれを補充させる意思であったことが明らかであれば白地手形と解され、当事者にその意思のなかったことが明らかであれば一覧払と解されるが、当事者の意思が不明のときは、白地手形と推定すべきであろう。

(五)　支払地の表示（手一条五号）

支払地とは、手形金額の支払がなさるべき地域をいう。支払のなさるべき地点たる支払の場所（支払人の住所もしくは営業所または第三者方〈手四条・二七条〉）とは区別しなければならない。そしていわゆる地とは、独立の最小行政区劃すなわち市町村または東京都の区のごときをいい、支払地としては少なくともこれを推知するに足りる地域を記載することを要する、とするのが確定的な判例である（大判大一五・五・二二民集五—四二六、最判昭三七・二・二〇民集一六—二—三四一）。しかし、近時は社会的に通用する一定の地域を示す名称を記載すれば足り、必ずしも行政区劃に拘泥する必要はないと解する学説が有力である。これによれば丸の内、船場、山科等の名称を記載しても、支払地の記載としては必ずしも不適法ではないわけである。もっとも、支払地の記載は支払場所の探求により所を与えるためのものであるから、この趣旨を没却するような広汎な地域の記載は手形を無効とする。支払地は単一かつ確定することを要し、重畳的または選択的記載は手形の効力を害する。しかし同名の地が数個ある場合にも、必ずしも区別して記載することは必要ではない。多少の疑いがないではないが、支払地は実在の地でなければならないとするのが通説である。そうでないと手形上の権利の行使が不可能であるというのが、その理由である。支払地は振出地と異なること（隔地 distantia loci）を要しない。また支払地は支払人の住所地と異なることを妨げない（他地払手形）（手二二条一項参照）。なお支払地の記載は絶対的要件ではなく、その記載がない場合にも支払人の名称に附記した地（肩書地）があれば、特別の表示がないかぎり、これが支払地とみなされる（手二条三項）。いわゆる「特別の表示」がない場合とは、手形上の記載から支払人の肩書地を支払地としない趣旨が認めえないかぎりという意味である。例えば、支払人の肩書地のほかに支払場所の記載があって、しかも肩書地と支払場所の所在地とが相違する場合のごときは、特別の表示がある場合に該当する。

㈥　支払を受けまたはこれを受ける者を指図する者、すなわち受取人の名称（手一条六号）

受取人は、手形の第一次の権利者たる者である。受取人の記載は絶対的要件である。手形にあっては、小切手と異なり、無記名式および選択無記名式のもの（小五条一項三号、二項）は認められない。これを認めると、通貨類似の作用を営むおそれがあるからである。受取人の記載は、手形要件としては人の名称と認むべき記載があれば足り、その者が実在するか否かを問わず、また特定人の表示としては、一般取引の見解に従いその者を指示すると認めうる記載がなければならないことは、支払人について述べたのと同様である。会社が受取人である場合は、その商号のみの記載で足り、代表者の記載は必要でない（大判明三八・一一・二三民録一一—一二五九）。受取人は共同的にまたは選択的に数人たることを妨げない。前の場合には、数人共同的に手形上の権利を行使しまたは裏書をなすことを要するが、後の場合には、各人単独で権利を行使しまたは裏書をすることができる。振出人は自己を受取人とすることを妨げず（手三条一項）、これを自己受手形または自己指図手形という。かかる手形にあっては、手形が裏書により振出人の手を離れたときに初めて現実に手形関係の成立を見るのである。

すでに述べたとおり手形の振出人と支払人とは同一人であって差支えなく、また右のように振出人と受取人も同一人でありうることは、法の明定するところである。このように手形において当事者の兼併が認められるのは、流通の用具としての手形証券を通じてのみ可能とされる手形関係は、人格的関係ではなくして技術化された関係であり、その当事者なる概念は極度に形式化せられ、証券上当事者と認められる者の表示があるかぎり、その実体の存否・真実との符合等を必要としないことの当然の結果であって、それはまた実質的には、手形行為がすべて債権の支払とその流通の確保という共通の目的に向って奉仕するものとして位置づけられていることによって支持される。それゆえ、異論はあるが、受取人と支払人もまた同一人たることをうるのみならず、振出人・受取人・支払人の三者が同一人たることも妨げないものと解しなければならない。

(七)　振出の日および地の表示（手一条七号）

(1)　振出日　　振出日附は、日附後定期払手形の満期、一覧払手形および一覧後定期払手形の呈示期間、定期後一覧払手形の呈示禁止期間を定める基準をなし、また振出人の能力・代理権の有無等を決するについても一応の標準となる。振出日附の記載は可能な日でなければならないが、事実上振出のあった日と一致しなくとも、取得者の善意悪意を問わず、手形の効力に影響はない。いわゆる先日附(さき)または後日附(あと)の手形（事実上振出のあった日よりも将来の日または過去の日を振出日附とする手形）も有効である。振出日附は単一であることを要し、振出人が数人ある場合でも同様である。なお確定日払手形にあっては、振出日の記載は法律上格別の意味をもたないが（実際上は不当にサイト〈振出から満期までの期間〉の長い手形の振出を防止する意味がある）、法が振出日の記載を手形要件としている以上、その記載を要しないものと解することはできなく（最判昭四一・一〇・一三民集二〇―八―一六三二）、振出日の記載のない手形はその記載につき補充権を与えられた白地手形と解すべきである。このように振出日の記載が必要である以上、満期後の日を振出日とする手形は無効というほかない。

(2)　振出地　振出地の記載は、国際手形法における準拠法の決定（手八八条二項以下）および手形法三七条・四一条四項の規定と関連して一応の意義を有する。その記載は、手形の準拠法を定める基礎となりうるかぎり広狭いずれでも差支えなく、必ずしも支払地における「地」と同様に解する必要はない。ただし、振出地が単一であるべきこと、真実の振出地と合致する必要がないこと、振出地の記載はなくとも振出人の名称の肩書地があればこれが振出地とみなされること（手二条四項）等は、支払地について述べたのと大体同様である。

(八)　振出人の署名（手一条八号）

手形要件としては、署名と認めうべき記載があれば足り、その記載が署名者の署名として有効であるかどうかは別問題である。署名は本来自署であるが、記名捺印をもって代えることができる（手八二条）。振出人の署名は手形本紙になすことを要し、補箋または謄本上になすことをえないが、振出人が振出に当たって手形に結合させた紙片は手形本紙の一部と解すべきである。振出人は数人あることをうる（共同振出）。異論がないではないが、共同振出人は合同して責任を負うものと解せられる（手四七条一項）。手形法四七条一項は種類または段階を異にする数人の手形行為者の責任を定めたもので、数人が共同して一個の手形行為をなす場合を予想した規定とは認められないが、これを共同手形行為にも類推適用するのが適当だからである。したがって、手形行為は商行為ではあるが、これには商法五一一条一項は適用されない。その結果、共同振出人の一人に対する支払呈示のみにより他の者を遅滞に付することはできず、同様にその一人に対する支払の呈示によっては償還請求をすることができない。なお振出人は、自己の名をもって、他人の計算において手形を振出すことができる（手三条三項）。かかる手形を委託手形という。この場合、振出人とその他人との間の関係は手形外のものであって、手形上はもっぱら振出人がその責に任ずることはいうまでもない。

第二款　要件以外の記載事項

一　手形法により認められた事項（有益的記載事項）

上述の手形要件は、為替手形が手形としての効力を生ずるために必要な最少限度の事項であって、当事者はこれ以外にも手形上に種々の記載をすることがある。そのうちとくに法律により記載しうべきものとされている事項をあげれば、つぎのとおりである。

(1)　支払人の名称の附記地（手二条三項）

(2)　振出人の名称の附記地（手二条四項）

(3)　第三者方払文句　本来為替手形は支払人の住所または営業所で、支払人自身によって支払わるべきものであるが、とくに第三者に委託して、第三者によりその住所で支払うべきものとすることができる（手四条）。そのためには手形にその旨を記載することを要し、かかる記載を第三者方払文句といい、その記載のある手形を第三者方払手形という。旧法では、支払地内の支払をなすべき地点（支払場所）の指定と、支払人に代わってその支払事務を担当する者（支払担当者）の指定とを区別していたが（昭和九年以前の旧商四五三条・四五四条）、取引の実際ではほとんどこの区別はされていなかった。現行手形法が「第三者の住所」（手四条）・「第三者方」（手二二条二項・二七条一項）・「支払の場所」（手二七条二項）というのはすべて同一の意味であって、いずれも支払担当者および支払場所の双方を包括する観念である（手二七条一項参照、この規定は、第三者方払手形の支払は、引受人自身によってなされるのではないことを前提としている）。それゆえ、第三者方払の記載が人を表示するものと認められるかぎり、その手形の満期における支払は、その第三者によりその住所または営業所においてなさるべきことを意味する。例えば、取引の実際において慣用されている「支払場所某銀行某地支店」なる記載は、某銀行某地支店を支払場所とすると同時に、その銀行を支払担当者として支払事務を行わせる趣旨と解せられる（大判昭一三・一二・一九民集一七―二六七〇）。ただし異論がないではないが、単純に支払の場所のみ（例えば某ビル何号室）を指定し、支払人みずからその場所に行って支払をすることも差支えない。第三者方払の記載は振出人がなしうるのみならず（手四条）、振出人がその記載をしなかったときは、支払人が引受をなすに当たりこれを記載することができる。その第三者の住所ないし支払の場所は支払地内にあることを要し、支払地外にある場合にはその第三者方払の記載は無効である。その記載方法には制限はないが、通常支払場所某銀行某地支店または何市何町何番地というようになされる（統一手形用紙には「支払地」と並んで「支払場所」なる不動文字が印刷されている）。支払場所として第三者たる人を表示する記載があるときは、支払の呈示はその者の住所または営業所でその者に対してなすことを要し、これを怠ると前者に対して遡求することができない。ただし、引受人に対する権利には影響はない（昭和九年以前の旧商四九〇条二項参照）。単純な支払の場所のみの記載があるときは、その場所で支払人に対し支払の呈示をし、かつ拒絶証書を作らせなければならない。なお多少の反対はあるが、支払場所の記載は支払呈示期間内における支払についてのみ効力を有するものと解すべきであって、呈示期間経過後は、支払の呈示は支払地内における主たる債務者の住所または営業所において、手形の主たる債務者に対してしなければならない（最判昭四二・一一・八民集二一—九—二三〇〇）。

(4) 利息文句、利率または利息起算日の記載（手五条）　一覧払または一覧後定期払手形に限る。

(5) 引受無担保文句（手九条二項）

(6) 裏書禁止文句（手一一条二項）

(7) 引受呈示の命令または禁止（手二二条一項ないし三項）

(8) 引受呈示期間または支払呈示期間の伸縮（手二三条二項・三四条一項）

(9) 支払呈示の禁止（手三四条二項）

(10) 標準たる暦（手三七条四項）

(11) 外国通貨の換算率または外国貨幣現実支払文句（手四一条二項、三項）

(12) 拒絶証書作成免除文句（手四六条）

(13) 戻手形の禁止（手五二条一項）

(14) 予備支払人（手五五条一項）

(15) 複本の表示または複本交付請求の禁止（手六四条二項、三項）

二　その他の事項

右に掲げた以外の事項は、これを手形に記載しても手形上の効力を生じない。この点は現行法には明文の規定がなく（昭和九年以前の旧商四三九条参照）、学説上も異論がないではないが、上述のように法律が手形に記載しうべき事項を一々明定したのは、それ以外の任意の記載を認めない趣旨と解せられるのみならず、手形流通の円滑をはかるためにはその記載を簡明にする必要があることに徴しても、その趣旨をうかがうことができるであろう。或いは手形所持人に有利な事項は手形上記載者を拘束するとする見解もあるが、このような個別的かつ実質的な判断を要する基準をもって手形の定型性を動かすことは適当とはいえない。右のような事項の中にも、その記載が手形上の効力を生じないだけで、手形自体の効力には影響のないもの（無益的記載事項）と、その記載が無効なばかりでなく、手形そのものまでも無効ならしめるもの（有害的記載事項）とがある。

㈠　記載のみが無効な事項（無益的記載事項）

法が手形に記載することを許した以外の事項は、利率の記載のない利息文句（手五条二項）・一覧払および一覧後定期払手形以外の手形の利息文句（手五条一項）・支払無担保文句（手九条二項）のように、法がとくに明文をもってその手形上の効力を否認する事項に限らず、原則としてその記載が手形上の効力を生じないのにとどまり、手形自体の効力には影響を及ぼさないものと解すべきである。かかる事項のうち実際上問題となるものとしては、例えば違約金の記載・満期日に請求をしない旨の約束・裁判管轄の合意等のごときである。もっとも、これらの事項も手形上の効力は生じないが、手形外における合意としてその効力を生ずることを妨げない。ただし、そのためには実際上合意のあったことが必要であって、上述の記載のある手形の授受によって当然に当事者間に契約が成立するものと解することはできない。なお右と同様手形上の効力を生じない事項でしばしば手形に記載されるものに、つぎの事項がある。その多くは法の原則の反復または沿革的遺物である。例えば、指図文句（手一一条一項）・呈示文句または受戻文句（手三八条・三九条参照）・担保附文句・通知文句・対価文句（例えば対価現金受領）・資金文句等がこれである。

㈡　手形の効力を害する事項（有害的記載事項）

右と異なり手形の本質に反する事項の記載は、その記載が無効であるにとどまらず、手形自体を無効ならしめる。分割払の記載のようにその旨を明文で規定されたものもあるが（手三三条二項）、そのほかでも、手形債権を原因関係にかからしめる記載、例えば売買代金または貸金債権の弁済として支払われたしとし（ただし、手形債務負担の歴史的事実のみの記載は差支えない、荷為替手形・対価文句等）、また手形の支払方法を限定しまたは支払を条件にかからしめる記載、例えば商品受領のうえもしくは貨物引換証と引換に支払われたしとし、または銀行に対してのみ支払われたしとするがごときは、手形を無効ならしめる。

第三款　振出の性質および効力

一　性　質

為替手形の振出は、為替手形としての要件を具備する証券を作成し、これを受取人に交付することによって成立する手形行為であって、爾後の手形関係の発展の基点をなす行為である。その法律上の性質については、かつては償還義務の負担を目的とする行為であるとする見解が多かったが、振出に債務負担の意思表示を見ることは擬制といわざるをえない。さればとて、振出をもって支払人に支払を委託する委任契約の申込となしえないことは明らかである。為替手形の振出の性質は書面による支払指図（Anweisung）と解するのが適当ではないかと思う。もっとも、支払指図に関してはわが国法には何らの規定がなく、またこれについて規定するドイツ法（独民七八三条以下）のもとでもその性質に関しては異論が多いのであって、なお疑問の余地があるのを免れないが、支払指図は二重授権（Doppelermächtigung）と解するのが通説である。この見解によれば、為替手形の振出により、手形所持人は自己の名をもって手形金額の支払を受ける権限を取得すると同時に、支払人は自己の名をもって振出人の計算においてその支払をなす権限を取得するのである。振出人は替為手形の振出により償還義務を負担するが、これは手形の流通を確保するために直接法律の規定によって認められた義務にほかならない。

二　効　力

(一)　本来の効力

為替手形の振出により、受取人は自己の名をもって支払人から支払を受領する権限を取得し、また支払人は振出人の計算において支払をなす権限を取得する。しかし、支払人は自己を支払人とする手形が振出されたことによって当然に支払の義務を負うものではなく、かかる義務は支払人が引受をした場合に初めて発生する。したがって、それ以前の為替手形には確定的な主たる債務者は存在せず、いわば支払人が引受を条件とする仮定的な債務者として存在するにすぎない。支払人がその権限にもとづき支払をしたときは、これを振出人の計算に帰せしめることができ、通常、補償請求権を取得するが、この関係はいわゆる資金関係上の問題であって、手形外の関係に属する。

(二)　従たる効果

振出人は手形の振出をしたことにより、その手形の所持人に対して、当該手形の引受および支払を担保する責に任じ（手九条一項）、引受または支払がないときはみずから支払をなすべき義務を負う。この義務は、或いは解せられるごとく振出の意思表示上の効果として負担されるものではなくして、手形取引の安全のためにとくに法が認めたものであり、一般法上の担保責任が手形法化されたものである。ただこの義務のうち引受担保責任のみは、手形上の記載によって免れることをうるが（手九条二項）、支払を担保しないことは許されないのであって、たとえかかる記載をしてもその記載はないものとみなされる（手九条二項）。数人の振出人があるときは、その数人が合同して右の義務を負うことは、すでに述べたとおりである。なお振出人は複本交付義務（手六四条）および利得償還義務

（手八五条）を負うが、これも法の規定によって生ずる手形法上の義務である。

第四款　白地手形

一　意　義

白地手形とは、後日所持人をして手形要件の全部または一部を補充させる意思をもって、ことさらこれを記載しないで、白地のまま署名して流通におかれた手形をいう。手形交付の際には種々の事情から手形金額・満期・受取人等が確定していないため、これを記載しないまま交付しておいて、後日確定し次第所持人に補充させるような場合に認められる。

白地手形の要件はつぎのとおりである。

(1)　手形要件の全部または一部の記載がないこと　手形金額・支払地・受取人・満期等いかなる要件を欠いていても差支えない。手形署名をする意思をもって署名したのであれば、白紙に署名したのみで交付した場合にも、白地手形と認められる。或いは満期白地の白地手形は認められない（手二条二項参照）とする説があるが、賛成しがたい。また振出人の署名を欠く場合にも、他の手形当事者の署名があるかぎり、白地手形たることを失わない。

(2)　署名者が欠缺せる要件を後に補充させる意思をもってその手形を流通においたこと　手形要件を完備しない手形がすべて白地手形であるのではなくして、白地手形であるためには、その欠缺せる要件が後にこれを補充させようとする手形署名者の意思によって補足されていなければならない。すなわち、白地手形は未完成手形ではあるが、不完全手形ではなく、完全な手形として振出されたのにかかわらず実際上手形要件を欠如する無効手形とは区別される。もっとも、署名者の意思にかかわりなく、外観上補充が予定されていると認められるのが白地手形であるとする見解（客観説）もないではないが、正当とはいえない。ただ通常見られるように、印刷した手形用紙を用いてその要件の一部が記載されていない場合には、これを白地手形と推定して、反対を主張する者にその立証責任を負わせなければならない。

(3)　手形当事者の署名があること　　白地手形には少なくとも一個の手形署名がなければならない。その署名は通常は振出人の署名であるが、必ずしもこれに限らず、引受人・裏書人・保証人等の署名でも差支えない。実際上も支払人が振出に先だち白地のまま引受署名すること（白地引受）はしばしば見られるところである。手形の各要件の記載または署名についてはその時間的前後を問わないから、それで差支えないのである。なお判例は、振出人が捺印だけして記名をしない手形を受取人に交付した場合にも、白地手形の振出があったものとしているが（最判昭三七・四・二〇民集一六―四―八八四）、正確には、記名の補充があったときにはじめて白地手形が成立するものと解すべきである。

二　白地手形の性質

白地手形は手形要件を具備しない手形であるから、厳格な意味においては手形ではなく、手形としての効力を有しない。したがって、かような手形にもとづいて引受の呈示または支払の請求をすることはできない。しかしながら、手形所持人は何時でもその白地を補充して完全な手形とすることができるから、本来の無効手形と同視することはできない。白地手形の所持人は、白地を補充して完全な手形上の権利者となりうる法律上の地位を有しているのであって、白地手形は欠けている要件の補充を停止条件とする手形金請求権を表彰するものと解される。そしてその欠けている要件を補充する権利がいわゆる白地補充権であり、白地手形を取得する者は、右の条件附権利とともにこの白地補充権をも取得するものと認められる。すなわち、白地手形は補充を条件とする手形金請求権と補充権とを表彰する有価証券であると解される。白地手形のかかる性質からみれば、それは経済的にはむしろ完全な手形と同じ価値を有するものといえる。それゆえ白地手形は、実際取引において慣習法的に、その流通方法・流通の保護・喪失の場合の救済等につき、完全手形と同様の法律的取扱に服せしめられるようになった。現行手形法はこの慣習法を承認する前提のもとに、白地手形に関し一か条の規定を設けている（手一〇条）。

三　白地手形の完成

白地手形は補充をまって完成する。補充は補充権の行使によって行われる。

㈠　補充権の意義および発生

白地手形の所持人は、その白地を補充して完全な手形とすることができる。この権利を白地手形の補充権という。この権利は、権利者の一方的行為により、未完成手形を完成手形とし、その上になされた手形行為の効力を発生せしめる権利であるから、形成権たる性質を有する。いったん発生した補充権は後になって白地手形の署名者が一方的に撤回することはできないし、またその者の死亡または能力の喪失によって影響を受けない。

補充権は白地手形の手形行為者とその相手方との間の手形外の明示または黙示の契約（補充権授与契約）によって与えられるとする（主観説）のが多数説（本書旧版もこの見解）であるが、これに対して補充権の存否は、手形行為者の意思にかかわりなく、外観上補充が予定された手形と認められるか否かにより決せられるとする見解（客観説）がある。主観説によると、要件の欠けた手形が白地手形であることを主張する者は補充権授与の事実を立証することを要するが、これはきわめて困難であって、手形取引の安全を害するおそれが少なくない。しかし、欠けている要件が補充された場合に、その補充された文言に従って手形としての効力を生ずるのは、署名者の意思にもとづくものというほかなく、これを度外視する客観説が理論上認めがたいことは明らかである。このような観点からすると、白地手形は、署名者が欠けている要件を後日補充させる意思をもって要件白地の手形を作成しかつ交付したときに成立し、それと同時に白地補充権が発生してその手形に表彰されるものと解するのが妥当ではないかと考えられる。そして外観上、欠けている手形要件を後日補充させることが予定されているものと認められる書面に署名がなされた場合には、署名者による反証がないかぎり、白地手形が成立したものと推定すべきである。

㈡　補充権の内容

補充権の範囲・行使の時期その他の内容は白地手形の署名者の定めるところによる。その定めが明らかでないときは、手形授受の原因関係・取引の慣習等を考慮し、信義誠実の要求に従って決すべきである。補充が署名者の定めるところに違反してなされた場合、すなわち補充権の濫用があった場合にも、白地手形の署名者はその違反をもって悪意または重大な過失なくして手形を取得した所持人に対抗することをえず、補充された文言に従って責任を負わなければならない（手一〇条）。けだし、他人を信頼して補充権を与えた者は、その信頼の違反から生ずる結果を負担するのが当然であって、これを他人に転嫁することをうべきではないからである。なおこの規定は、いったん発生した補充権が消滅したにもかかわらず、手もとに残った白地手形を完成手形として流通せしめた場合、悪意または重大な過失なくして白地手形を取得した所持人が、例えば手形金額につき、譲渡人の言に信頼して署名者の定めたところと異なる補充をしたような場合（最判昭四一・一一・一〇民集二〇—九—一七五六）にも、類推適用があるものと解すべきである。なお補充権の濫用と手形変造との区別についてはさきに述べた。

㈢　補充権の移転

補充権は白地手形の作成および交付によって発生するが、その交付を受けた相手方は必ずしもみずから補充権を行使することを要せず、これを表彰する白地手形の譲渡により他人に譲渡することができる。白地手形は、白地のまま完全な手形と同様裏書または単なる引渡（受取人の記載が白地であるかまたは最後の裏書が白地式裏書である場合）によって移転せられ、その取得者は手形を取得することにより条件附手形金請求権と補充権とを取得するのである。そしてこの場合には、白地手形の善意取得（手一六条二項）ならびに人的抗弁の切断（手一七条）が認められる。これらは慣習法によるものと見るべきである。なおこの場合、補充権の範囲についても善意者の保護が認めらるべきことは（手一〇条参照）、前述したとおりである。

(四)　補充権の行使期間

補充権の行使は、その時期につき白地手形の署名者が別段の定めをしておればこれにより（違反は手一〇条の問題）、その他の場合には白地の存するかぎり何時でも行使しうべき理であるが、しかし手形上の請求をなすには健全な手形を呈示しなければならないから、白地の補充もこれによりおのずから制限を受けることとなる。すなわち、償還義務者に対する関係においては支払拒絶証書作成期間内に（手四四条三項）（大判大九・四・五民録二六—四三八）、また引受人に対する関係においては満期後三年の時効期間内に（手七〇条）（大判大九・一二・二七民録二六—二一〇九）補充しなければならない。問題となるのは満期が白地の場合の補充権行使の期間である。判例はかつて補充権の時効期間を二〇年と解したが（民一六七条二項）、近時これを五年と解するに至った（商五二二条）（最判昭四四・二・二〇民集二三—二—四二七）。学説も多くこれと同じ見解をとっているが、むしろ補充権は三年の時効に服するものと解すべきである。補充権は形成権ではあるが、その時効期間は権利の行使によって生ずる債権に準じて考えるべきであり、したがって手形の主たる債務者に対する権利の時効と同様三年（手七〇条一項）と解するのが正当であると思う。なお判例は、白地手形の所持人は、白地部分を補充することなく未完成手形のままの状態で、法律の定めるところにより、時効中断のための措置、例えば訴えの提起をなしうべきものと解しており（最判昭四一・一一・二民集二〇—九—一六七四、同昭四五・一一・一一民集二四—一二—一八七六)、学説にもこれを支持するものが多いが、白地手形にあっては、白地を補充しないかぎり手形上の権利は発生せず、存在しないことを考えると、疑問があるのを免れない。

四　白地補充後の関係

補充権者により欠缺せる手形要件が補充されるときは、白地手形は完全な手形となり、白地手形上になされた振出・引受・裏書・保証等の手形行為は補充せられた文言に従ってその効力を生ずる。その効力が生じて白地手形の署名者が手形上の責任を負うのは補充の時からであるが、発生した効力の内容は手形の記載によって定まる。したがって、振出日附・裏書日附等が補充の日に先だつ場合にも、その記載によって手形の効力が定まるのである。なお手形行為者の能力の有無・代理権の存否等は、それぞれその署名の時を標準にして決しなければならない。

第二節　裏　書

第一款　総　説

一　手形の流通方法

手形は法律上当然の指図証券であって、指図式で振出された場合はもとより、記名式で振出された場合にも、裏書によって他人に譲渡することができる(手一一条一項)。この場合、裏書は権利移転自体の要件であって、単なる対抗要件ではない(民四六九条参照)。かように裏書が手形上の権利移転の本来の方式であるが、例外として振出人

（裏書人または引受人では不可）が手形に指図禁止またはこれと同一意義を有する文言（例えば裏書禁止・譲渡禁止など）を記載した場合（裏書禁止手形）には、指名債権の譲渡に関する方式に従い、かつその効力をもってのみ譲渡することができる（手一一条二項）。したがって、かかる手形に裏書をしても何らの効力を生じない（ただし、取立委任裏書のみはなすを妨げないと解すべきであろう）。これにより、振出人は受取人に対する抗弁を留保することをえ（手一七条参照）、また手形不渡の場合の償還金額の増大を防ぐことができる。なお異論はあるが、かかる手形上の債務も取立債務であり、その手形は呈示証券でかつ受戻証券たる性質を失わないものと解すべきであって、手形上の権利を行使するには手形を所持することを要し、したがってその債権の譲渡には手形の引渡（権利移転の要件）を必要とする。

右のごとく手形の通常の譲渡方法は裏書であるが、しかし裏書禁止のない普通の手形でも、裏書以外の方法で移転しえないわけではない。すなわち、相続または会社の合併のような包括承継はもとより、転付命令・競売等によっても移転することは一般に認められている。多少の反対はあるが、同様に通常の債権譲渡（民四六七条）の方法による譲渡も認められるべきである（最判昭四九・二・二八民集二八—一—一二一）。そして手形がいったんこれらの方法により移転せられた場合にも、その後さらに裏書をすることを妨げない。

二　裏書の性質

裏書（譲渡裏書）は、裏書人が法定の方式に従って手形に署名し、これを相手方すなわち被裏書人に交付することによって成立する手形行為であって、これにより被裏書人は手形上の権利を取得する。この裏書の本質については、後述の裏書の効力のいずれに重点をおくか、またその効力をどこまで当事者の意思に帰せしめるか等によっては種々の学説（債権譲渡説・所有権取得説・債務負担説など）があるが、その多くは余りに擬制的または技巧的な説明におちいり、裏書の実際から遠ざかっている。むしろ単純に裏書は債権譲渡または少なくともこれに類似する債権移転の方法であると解する債権譲渡説が、最もよく裏書の実相に即していると思う。もっともこの説に対しては、手形の善意取得・手形抗弁の切断・裏書人の担保義務の負担等を説明しえないとする非難があるが、これらはいずれも手形流通の保護のために法律政策上認められた効果であると解すれば足り、それゆえに裏書の実体を債権譲渡と解することを妨げるものではない。手形法一四条一項も「裏書は為替手形より生ずる一切の権利を移転す」と規定して、裏書の本質が権利の移転にあることを明らかにしている。

第二款　裏書の方式

一　総　説

裏書は、手形・補箋（手形と結合した紙片）または謄本上に一定の事項を記載して裏書人が署名し、これを被裏書人に交付することによって行われる（手一三条一項・六七条三項・八二条）。その記載および裏書人の署名は手形の裏面になすのが普通であるが、手形の表面になしても差支えなく、また余白がないときは、補箋を附してその補箋にしてもよい。ただし、裏書人の署名のみをもってする裏書は必ず手形の裏面または補箋にしなければならない（手一三条二項）。白地引受（手二五条一項）や白地保証（手三一条三項）との混同を避けるためである。

二　記名式裏書と白地式裏書

裏書は被裏書人を指定し、同人に対して手形金額の支払をなすことを求める裏書文句を記載するのが本則であるが、被裏書人の指定や裏書文句は必ずしも必要でなく、これにより裏書に記名式裏書と白地式裏書とが区別される。

(1)　記名式裏書　これは、裏書人の署名のほかに被裏書人の名称を記載した裏書で、正式裏書または完全裏書ともいわれる。被裏書人の表示の仕方、それが重畳的にまたは選択的に数人でありうることは、受取人について述べたのと同様である。ただし、裏書人と被裏書人とは手形の記載上別人でなければならない。

(2)　白地式裏書　これは、被裏書人の名称を記載しない裏書であって、無記名式裏書または略式裏書ともいわれる。被裏書人を指定しないことがこの裏書の特質であるから、裏書人の署名のみをもってなす場合のみならず、被裏書人の記載がないかぎり、それ以外の記載、例えば年月日・裏書文句等の記載があっても白地式裏書たることを妨げない（手一三条二項）。

いったんなされた記名式裏書における被裏書人の記載のみが抹消された場合には、裏書連続の関係においては、裏書全部が抹消されたものとみるべきであるとする見解が少なくない（本書旧版もこの見解）。その理由は、被裏書人の表示は裏書にとって重要な事項だからというにある。しかしながら、被裏書人の名称のみの抹消は、その外観上、抹消された部分のみの記載がないものと認めるのが自然であり、それが取引の通念にも合し、ひいて手形取引の保護にも役立つと考えられる。それゆえ、被裏書人の名称のみが抹消された場合は、その抹消が権限ある者によってなされたと否とを問わず、裏書連続の関係においては、白地式裏書と認めるのが妥当であると思う。最近の判例もこの見解をとっている（最判昭六一・七・一八民集四〇―五―九七七）。もっともこれと反対の見解により、被裏書人の名称のみの抹消が裏書全部の抹消と認められる結果、裏書の連続を欠くこととなっても、手形所持人は実質関係を証明することにより、その権利を行使することができないわけではない。

白地式裏書は持参人払式裏書、すなわち特定の被裏書人を表示しないで、手形の所持人をもって権利者とする旨を記載した裏書と区別しなければならないが、法はかかる裏書に白地式裏書と同一の効力を認めている（手一二条三項）。また白地式裏書のある手形は爾後引渡のみによって譲渡することをうるから、無記名証券に類似しているが、しかし白地式裏書のある手形もなお裏書譲渡することができるのであって、両者はこれを同一視することはできない。

三　要件以外の記載

裏書は単純であることを要するが（手一二条一項一文）、しかし上述以外の事項の記載も必ずしも裏書の効力を害するものではなく、つぎの事項は法律によりその記載が認められている。すなわち、無担保文句（手一五条一項）・裏書禁止文句（手一五条二項）・取立委任文句（手一八条）・質入文句（手一九条）・裏書日附（手二〇条二項）・引受呈示の命令（手二二条四項）・呈示期間の短縮（手三四条一項）・裏書人の宛所（手四五条三項）・拒絶証書作成免除（手四六条）・予備支払人（手五五条一項）がこれである。これ以外の事項は記載しても手形上の効力を生じない。裏書に附した条件も同様である（手一二条一項二文）。これに反して、手形金額の一部についてなす裏書（一部裏書）は、手形の単一性を害するから無効である（手一二条二項）。

四　手形の交付

裏書が成立するためには、上述のような裏書の記載のなされた手形が被裏書人に交付されることを要する。しかし、その手形が裏書人の意思にもとづかないで流通におかれた場合（交付契約欠缺）にも、善意の第三者は有効にその手形上の権利を取得することが認められ（手一六条二項）、また裏書人は善意の所持人に対しては手形上の責任を免れえないものと解すべきである（七九頁参照）。

第三款　裏書の効力

譲渡裏書はつぎのような効力を有する。

㈠　移転的効力

裏書によって手形上の一切の権利が被裏書人に移転する（手一四条一項）。これを裏書の移転的効力といい、裏書の本質的効力である。裏書により手形上の権利自体が移転されるのであって、或いは解せられるように、裏書により手形所有権のみが移転せられ、手形上の権利は手形所有権の取得にもとづき原始的に取得されるのではない。この裏書の移転的効力は、つぎの点で民法の債権譲渡の場合に対して特色を有する。

(1)　債権譲渡の場合には、譲渡人の有する権利がそのまま譲受人に移転し、したがって債務者は譲渡人に対抗することをうべかりしすべての抗弁をもって譲受人にも対抗することができるが、裏書の場合には、手形債務者は裏書人に対する人的関係にもとづく抗弁をもって善意の被裏書人に対抗することをえないのであって（手一七条）、いわゆる抗弁の切断を生ずる。この点で裏書の効力は通常の債権譲渡の場合よりも強力である。この抗弁の切断は手形の流通保護のために政策的に認められたもので、これを説明するために、裏書による手形上の権利の取得を、手形所有権の取得にもとづく原始取得であるとする理由のないことは、さきに述べたとおりである。

(2)　債権譲渡の場合には、原則として、債権に附随する質権・抵当権・保証人に対する権利・違約金の約束等は当然に譲受人に移転するが、手形行為たる裏書の効力としてはこれを認めることはできなく、それは手形外における当事者の意思によって決するほかない。ただ通常は、当事者が手形上の権利の譲渡をする以上、その権利に附随するこれらの権利も移転されるものと解するのが、当事者の意思に合するであろう（最判昭四五・四・二一民集二四―四―二八三）。

被裏書人は、裏書によって取得した権利を、みずから行使しまたはさらにこれを他人に譲渡することができる。そして白地式裏書により手形を取得した所持人が手形上の権利を行使するには、自己の名称をもって白地を補充してもよいが（手一四条二項一号）、補充しなくても差支えなく、その手形の所持により当然に正当な権利者と推定される（手一六条一項二文）。またその者が手形を譲渡するには、或いは㈠自己の名称をもって白地を補充してさらに記名式または白地式の裏書をなし、或いは㈡直接他人の名称をもって白地を補充してその者に手形を交付し、或いは㈢白地を補充しないでさらに記名式または白地式の裏書をなし、或いは㈣そのまま手形を他人に交付するなど、種々の方法によることができる（手一四条二項）。㈡および㈣の場合には、手形の譲渡人は手形関係に入り込まず、手形上の責任を負わないことに注意しなければならない。

㈡　担保的効力

裏書人は裏書により、原則として、その後者全員に対し手形の引受および支払を担保する義務を負う（手一五条一項）。これを裏書の担保的効力という。この効力が直接法の規定によって認められたもので、意思表示上のものでないことはすでに述べた。けだし、対価を得て債権を譲渡した者がその弁済期における支払を担保するのは当然の事理であって、右はこのような一般私法的な責任が手形法化されたものにほかならない。数人の裏書人がある場合にその数人が合同して責任を負うことは、共同振出人の場合と同様である（手四七条一項）。この担保的効力はすべての裏書について認められるものではなくして、期限後裏書（手二〇条）・取立委任裏書（手一八条）・無担保裏書（引受及び支払無担保・償還無用等の記載をした裏書）（手一五条一項）の裏書人は、その後者全員に対して責任を負うことなく、また裏書人が新たな裏書を禁止して裏書（裏書禁止裏書）をしたときは、その裏書人は直接の被裏書人を除く後者に対しては（手一五条二項）、担保責任を負わない。

㈢　資格授与的効力（資格証明的効力）

連続する裏書のある手形の所持人は、真の権利者と推定され、実質的な権利者であることの証明を要しないで手形上の権利を行使することができる。この旨を定める手形法一六条一項は、右のような手形の占有者は適法の所持人とみなすと規定しているが、それが推定する意味であることは、同条二項の規定（裏書の連続ある手形の所持人でも、悪意または重過失ある者は実質的権利者とは認められない）について見れば明らかである（最判昭三六・一一・二四民集一五―一〇―二五九一）。元来、手形上の権利を行使しまたは処分しうる者は、真の権利者またはその者から権利の行使もしくは処分の権限を与えられた者でなければならないが、実際上一々その証明と探求とを要するものとするならば、到底手形取引の円滑は期せられない。それゆえ法は、連続する裏書のある手形を所持する者は、その外形的事実のみによって手形上の権利を行使することができ、またかかる者から善意で手形を取得した者は、譲渡人が無権利者であった場合にも手形上の権利を取得することができ（手一六条二項）、さらにこのような者に支払った善意の手形債務者は、その者が真の権利者でなかった場合にも、有効に手形上の義務を免れるものとしたのである（手四〇条三項）。このように裏書が被裏書人に権利者たる形式的資格（権利者たる外観）を与えることを、裏書の資格授与的効力という。資格授与的効力は他の二つの効力と異なり、譲渡裏書に限らずすべての裏書を通じて認められる。

裏書が右のような資格授与的効力を生ずるためには、裏書が連続していなければならない。裏書の連続とは、手形の記載において、受取人が第一の裏書の裏書人となり、第一の裏書の被裏書人が第二の裏書の裏書人となるというようにして、現在の所持人に至るまで裏書が間断ないことをいう。裏書の連続があるというためには、(1)各裏書が形式上有効であることを要するが、実質上有効であることは必要でない。したがって、中間に無能力により無効もしくは取消された裏書または偽造の裏書があっても、裏書の連続は妨げられない。また(2)裏書の連続は、形式的に手形の記載の上で連続していることを要しかつそれで足り（大判大四・六・二二新聞一〇四三―二九）、実質的に連続することは必要でなく、またそれのみでは足りない。それゆえ、例えば氏名をもって裏書を受けた者が商号をもって裏書をするときは、その氏名と商号が一致していないかぎり裏書の連続を欠くのに反して、中途に偽造の裏書または無権代理人による裏書があっても、裏書の連続はあるのである（最判昭四九・一二・二四民集二八―一〇―二一四〇参照）。そして前の裏書の被裏書人の表示と後の裏書の裏書人の表示とが厳密には同一でなく、その間に多少の相違があっても、社会通念上同一性が認められるかぎり、裏書の連続は妨げられない（大判昭一〇・一・二二民集一四―一―三一）。(3)包括承継または特定承継（例えば債権譲渡・転付命令）によって手形を取得した者がさらに裏書をした場合には、裏書は形式上連続を欠くこととなるけれども、右の承継の事実が立証されるときは、連続の欠缺は補完せられ、所持人は手形上の権利を行使することをうるものと解すべきである。(4)白地式裏書について他の裏書があるときは、後の裏書の裏書人はその白地式裏書によって手形を取得したものとみなされ、また最後の裏書が白地式裏書であるときは、その手形の単なる所持人が権利者と推定される（手一六条一項二文、四文）。また(5)ここに裏書の連続とは同種類の裏書の間の連続をいうのであって、例えば譲渡裏書の連続については譲渡裏書としての連続があれば足り、中間に取立委任裏書があっても裏書の連続の妨げとはならない。なお(6)裏書の連続については、抹消された裏書はその記載がないものとみなされる（手一六条一項三文）。手形所持人の不利益のためのみならず、その利益のためにも同様である。抹消の有無は客観的に決すべきであって、何びとによってなされたか、権限があってなされたか、故意または過失のいずれによってなされたか等は問わない。抹消の方法も塗抹・削除等そのいずれでも差支えない。記名式裏書の被裏書人の記載だけが抹消されているときも、裏書連続の関係においては裏書全部の抹消と解すべきであるとする見解が少なくないが、むしろこれを白地式裏書と認めるのが妥当であることは、さきに述べたとおりである（一〇二頁）。

裏書が連続を欠くときは、断絶後の裏書の被裏書人には権利者たる形式的資格は認められず、断絶前の最後の被裏書人が手形上の権利者と推定される。断絶後の手形所持人は断絶前の前者に対してのみならず、断絶後の前者に対しても権利者たる資格を有しない。しかし、裏書の連続による資格の問題は実質的権利の有無には関係なく、ただ裏書の連続を欠くときは、手形の所持なる外形的事実のみで直ちに権利を行使しえないだけのことである。したがって、裏書の連続を欠く手形の所持人も、その連続の欠けている個所の実質的関係、例えば有効な権利移転の事実・被裏書人と裏書人が実際上同一人であること・裏書の抹消が過失または無権利者によることなどを証明すれば、断絶された裏書は架橋され、手形上の権利を行使することができる。

第四款　裏書人と被裏書人との関係

裏書によって手形が授受される場合には、手形外にその授受をなすべき法律上の原因、すなわちいわゆる原因関係が存すること、その原因関係の種類は種々雑多であること、裏書は売買・貸借等による既存債務の履行の目的をもってなされることが少なくないが、この場合には手形の授受は原則として既存債務の支払確保のためになされたものと推定され、したがって既存債務と手形債務とは併存するものと解されること等については、すでに述べた（六九頁）。ここでは、手形の裏書がなされる最も普通の場合である手形割引について略述するにとどめる。

手形割引とは、手形所持人が銀行その他の金融業者に対して満期未到来の手形を裏書譲渡すると同時に、手形金額から満期日までの利息その他の費用すなわち割引料を差引いた金額を受領することをいい、いわゆる手形貸付（金銭の貸付に当たり、借主から借用証書に代えてまたは借用証書とともに、手形の振出を受けること）とともに銀行の主要な業務の一つとなっている（銀行法一〇条一項二号）。この手形割引の法律的性質については、手形の売買と解するのが通説であるが、手形割引というのは手形関係とは別の実質関係に関する用語であって、手形の裏書としては通常の裏書と変わりはない。このように手形割引は裏書の当事者間の実質関係をいうものにほかならないから、その関係は当事者間の契約によって定まる問題であって（最近の銀行取引約定書ひな型第六条は手形割引を手形の売買とみている）、通常は手形割引は手形の売買と解されるにしても、当事者間の契約によっては、その間に消費貸借の存在が認められる場合もないではない。

手形の割引を手形の売買と解すると、割引依頼人と割引人との間には手形上の関係以外には何らの関係もないことになるが、手形割引は経済的には割引人（主として銀行）の与信行為にほかならないから、割引人としては、手形の主たる債務者または割引依頼人の信用が悪化した場合については、手形法の規定による救済（手四三条・七七条一項四号）に頼るのみでは足りなく、特別の自衛措置を講ぜざるをえない。それゆえ実際においては、割引依頼人または手形の主たる債務者に支払停止その他一定の信用悪化の事実があるときは当然に、その他の手形の信用悪化の事実を生じたときは割引人の請求により、割引人に割引手形の買戻請求権が発生する旨の約定のなされているのが普通である。この買戻請求権の約定により、当事者間に割引手形の再売買の関係を生ずる。すなわち、前の場合には割引手形の停止条件付再売買が、後の場合には右手形の再売買の予約が成立するものと解される。

第五款　特殊の裏書

一　無担保裏書

これは、裏書人が手形上の責任を負わない旨を記載した裏書である（手一五条一項）。振出人におけると異なり（手九条二項）、裏書人は引受無担保のみならず、支払無担保の旨の記載をすることも許される。また手形金額の一部についての無担保の記載も、有効と解すべきである。無担保裏書をした裏書人は直接の被裏書人に対してのみならず、その後者全員に対して担保義務を負わないが、その効力は無担保文句を記載した裏書人についてのみ生ずる。

二　裏書禁止裏書（禁転裏書）

これは、裏書人が新たな裏書を禁ずる旨を記載してした裏書である。この場合には、振出人が裏書禁止の記載をした場合と異なり、手形は裏書禁止がない場合と同様に裏書することができるが（手一一条二項）、ただ裏書禁止裏書をした裏書人は、その禁止に反してなされた裏書の被裏書人に対しては担保責任を負わないのであって、その裏書人は自己の直接の被裏書人に対してのみ担保責任を負うにとどまる（手一五条二項）。もっとも、かかる裏書人も自己の直接の被裏書人の後者に対しても責任を負うが、ただ裏書禁止裏書の被裏書人に対する人的抗弁をもってその後者にも対抗しうるにすぎないとする見解もある。

三　取立委任裏書

取立委任裏書とは、被裏書人に手形上の権利を行使する権限を付与する目的をもってなされる裏書をいう。これに二つの場合がある。

(一)　固有の取立委任裏書（公然の取立委任裏書）

(1)　意義および方式　これは、手形上の権利を行使する代理権を付与する目的で、その旨を記載してなす裏書である。裏書に「回収の為」「取立の為」「代理の為」その他単なる委任を示す文言を附記した場合が、これである（手一八条）。

(2)　効　力

(イ)　外部関係　取立委任裏書は、移転的効力および担保的効力を有せず、代理権授与的効力および資格授与的効力を有するにとどまる。すなわち、(1)取立委任裏書の被裏書人は手形上の権利を取得することなく、手形取立の代理権を取得するのみである。その代理権は包括的な代理権であって、被裏書人は代理人として手形上の権利を行使するために必要な一切の裁判上および裁判外の行為をなすことができる。例えば、手形を呈示して引受または支払を求め、支払を受領し、または拒絶証書を作成させて償還の請求をなし、また利得償還請求権を行使し、さらに必要に応じて訴えを提起するがごときである。しかし、これらの行為は代理人としてなすのであるから、訴訟においても裏書人が当事者となるのであって、被裏書人が当事者となるのではない。また(2)被裏書人は通常の譲渡裏書をなすことはできないが、さらに取立委任裏書をなすことを妨げない（手一八条一項）。すなわち、裏書人の許諾を得ることなくして（民一〇四条参照）、復代理人を選任することができるのである。取立委任裏書の被裏書人のなした裏書は、取立委任の附記がない場合でも、取立委任裏書と認められる。(3)取立委任裏書の被裏書人は手形上の権利者ではないから、免除・和解など権利の処分をなすことはできない。また被裏書人は裏書人の権利を行使するものであるから、手形債務者の裏書人に対する抗弁はすべて被裏書人にも対抗することをうるとともに、反対に被裏書人に対する人的事由をもってこれに対抗することはできない（手一八条二項）。(4)取立委任裏書も資格授与的効力を有するから、被裏書人は自己に至るまでの裏書の連続があれば、別に代理権を証明しないで上述の行為をなすことができ、債務者もまたかかる者に支払えば、悪意または重過失がないかぎり免責される（手四〇条三項）。なお手形上の権利者たる裏書人は、取立委任裏書により手形上の権利を失うわけではないから、その裏書を抹消しもしくは抹消せずして、みずから取立をなしまたは譲渡裏書をなすことができる。取立委任裏書における取立委任の文言のみが抹消されているときは、裏書の連続については、単純な裏書があるものと解される。

(ロ)　内部関係　　取立委任裏書の裏書人と被裏書人との間の関係は一般私法上のものであって、その権利義務は裏書の基礎たるその原因行為によって定まる。それは通常は委任である。裏書人は裏書により手形上の権利を失うものではないから、取立の目的を達しえないときは、何時でも手形を回収することをうるが、被裏書人の代理権は裏書人の死亡または能力の喪失によっては消滅しない（手一八条三項）。

㈡　隠れた取立委任裏書

取引の実際においては、種々の理由により上述の公然の取立委任裏書の形式をとらないで、取立委任の目的をもって通常の譲渡裏書をなすことが少なくない。これを隠れた取立委任裏書という。この場合にも、裏書人は裏書をする意思で裏書しているのであるから、その裏書が虚偽の裏書でなく、その有効なことには異論はないが、その法律上の性質については学説が分かれている。信託裏書説は、この裏書は手形債権取立のため、手形上の権利を信託的に被裏書人に移転するものであって（最判昭四四・三・二七民集二三―三―六〇一）、これにより手形上の権利はすべて被裏書人に移転するが、ただ被裏書人は取立の目的のためにのみ手形上の権利を行使することができ、取立の目的を達したときはその金額を、その目的を達しえないときは手形を、裏書人に返還すべき手形外の義務を負うにとどまるものとする。これに対して資格授与説は、隠れた取立委任裏書の裏書人はその裏書により、被裏書人に手形上の権利者たる資格とともに、自己の名をもって裏書人の手形上の権利を行使する権限（Ermächtigung）を与えるものとする（大判昭五・八・五刑集九―八―五三九）。

これら二つの学説により隠れた取立委任裏書の効果について生ずる主な差異は、⑴手形債務者の主張しうべき人的抗弁、⑵被裏書人がその義務に違反して手形を裏書譲渡した場合の相手方の保護、⑶被裏書人が破産した場合における裏書人の取戻権の有無等において現われる。資格授与説によれば、手形債務者は裏書人に対するすべての人的抗弁をもって被裏書人に対抗することができるが、被裏書人に対する人的事由はこれに対抗しえないのが当然である。信託裏書説によれば、これと反対になりそうであるが、多数説は、被裏書人が手形上の権利の行使につき固有の経済的利益を有しないことを理由に、裏書人に対する人的抗弁はすべて被裏書人にも対抗しうるものと解している。この論理からすれば、手形債務者は被裏書人に対する人的事由はこれに対抗しえないとしてもよさそうに思われるが、信託裏書説をとる学者の多くは反対に解している。つぎに、被裏書人がその義務に違反して手形を譲渡した場合における善意の相手方の保護は、資格授与説によれば手形法一六条二項によるが、信託裏書説によれば一七条によることとなる。さらに、被裏書人が破産した場合には、資格授与説によれば裏書人は当然に取戻権を有するが、信託裏書説ではこれは認められない（しいてこれを認める見解も少なくない）。要するに信託裏書説は、隠れた取立委任裏書の効果についてはできるだけ資格授与説に接近しようと努めながら、なお手形上の権利の移転を生ずるとする立場を棄てえないものといえる。これは授権（Ermächtigung）なる観念に親しめない結果ではないかと憶測される。しかし資格授与説によっても、何ら第三者の利益または公益を害するおそれがないのみならず、かえってよりよく当事者の経済的利益に合致する法律効果が認められるのであって、この説を排斥して信託裏書説を固執すべき理由は見当たらないように思う。

なお最近は、隠れた取立委任裏書にあっては、手形上の権利は当事者間では移転しないが、第三者に対する関係においては移転するものと解し、裏書の当事者の側からは、第三者に対して手形上の権利が移転していない旨を主張することはできないが、第三者の側からは、当事者間で権利が移転していないと主張することができるとする、一種の折衷的見解をとる者がある。

四　質入裏書

(一)　意義および方式

質入裏書とは、手形上の権利に質権を設定する目的で手形にその旨を記載してなす裏書をいう（実際にはほとんど行われていない）。裏書に「担保の為」「質入の為」その他質権の設定を示す文言を附記する場合がこれである（手一九条一項）。この場合にも、同様の目的をもって通常の譲渡裏書をなすことができるのであって、これを隠れた質入裏書という。

㈡　効　力

(1)　質入裏書の被裏書人は、裏書人に属する手形上の権利の上に質権を取得する。その結果として、被裏書人は手形より生ずる一切の権利を行使することができる（手一九条一項本文）。すなわち、被裏書人は自己に至るまでの裏書の連続を証明して、手形の引受または支払の呈示をなし、拒絶証書を作らせて償還の請求をなすなど、手形上の権利者がなしうる一切の裁判上および裁判外の行為をなすことができる。そしてこれらの行為は、すべて被裏書人の利益のために被裏書人の名をもってなされるのであって、この点で取立委任裏書の場合と異なる。これは、被裏書人が自己固有の権利にもとづいて手形上の権利を行使することによるのである。

(2)　手形債務者は、被裏書人に害意がないかぎり、裏書人に対する人的抗弁をもって被裏書人に対抗することをえないとともに、被裏書人に対する抗弁はすべてこれに対抗することができる（手一九条二項）。なお民法三六七条の規定はこの場合には適用を排除され、被裏書人は被担保債権の額および弁済期のいかんにかかわらず、手形の記載に従ってその権利を行使しうるものと解しなければならない。

(3)　右のごとく被裏書人は手形上の権利を行使することができるが、これを処分する権限はなく、権利の放棄・免除等をなしえないのはもとより、譲渡裏書または質入裏書をなすこともできない。質入裏書の被裏書人のなした裏書は、その旨の記載があると否とにかかわらず、取立委任裏書としての効力を有するのみである（手一九条一項但書）。

(4)　なお質入裏書に担保的効力があるかどうかについては学説が分かれているが、これを肯定するのが正当であり、また質入裏書による質権の善意取得も認めらるべきである（手一六条二項）。

(5)　質入裏書にも資格授与的効力が認められ、被裏書人は連続する裏書ある手形にもとづき、実質関係を証明することなく、その支払を求めることができ、その者に支払った債務者は免責される（手四〇条三項）。

五　戻裏書（逆裏書）

(1)　意義　戻裏書とは、すでに手形上の債務者たる者を被裏書人とする裏書をいう。記名式裏書たると白地式裏書たるとを問わない。例えば、引受人・振出人・裏書人・保証人または参加引受人に対する裏書のごときがこれである。これに反して、引受をなさない支払人・支払担当者・予備支払人などは債務者ではないから、これに対する裏書は戻裏書ではない。

(2)　特色　戻裏書があると、或る範囲において手形上の権利と義務とが同一人に帰属するから、一般私法の法理からすれば、手形債権は混同により消滅すべきはずである（民五二〇条）。しかし既述のとおり、手形関係における当事者の観念は純形式的非人格的なものであるから、あたかも当事者資格の兼併が認められるのと同じ趣旨で、この場合にも混同を生ぜず、被裏書人はさらに手形を他人に裏書譲渡することができるのである（手一一条三項）。これにより、戻裏書を受けた手形債務者はその手形になされた他の署名者の信用を利用することができ、かつ新手形振出の手数と費用とを免れることができる。ただし、引受人が戻裏書により手形を所持する場合には、手形が流通性を失った後、すなわち支払拒絶証書作成後またはその作成期間経過後は、手形債権は混同によって消滅し、もはや裏書しえなくなるものと解すべきである。

(3)　被裏書人の地位　戻裏書の被裏書人は手形上の権利者であるが、同時にそれ以前において義務者でもあるから、自己に対してはもとよりその中間の義務者に対しても手形上の権利を行使することはできない。ただし、受取人が引受人の手形債務の担保のために振出人に裏書をしたような場合には、振出人は受取人に対して償還請求することができる（大判昭八・五・五民集一二―一〇七四）。右の結果、(ア)振出人が戻裏書により手形を取得したときは、引受人に対してのみ権利を行使することができる。また(イ)引受人が裏書により手形を取得したときは、何びとに対しても権利を行使することはできないが、手形上の権利は消滅しないから、引受人がさらに手形を裏書譲渡するときは、その被裏書人は完全な権利を取得する。支払人が引受をなしていないときは、通常の手形所持人と同様に権利を行使することをえ、支払人としての自己に対して支払拒絶証書を作成せしめ、前者に対して遡求することができる。(ウ)裏書人・参加引受人・保証人が戻裏書により手形を取得したときは、いずれも自己・被参加人または主たる債務者の後者に対しては手形上の権利を行使することができない。

なお、戻裏書により手形を再取得した裏書人は、中間の裏書人について存する人的抗弁に関しては、債務者を害することを知って手形を取得したのでないかぎり、対抗を受けないが（手一七条）、自己が裏書をする前にその前者が自己に対して有していた抗弁は、いったん善意の被裏書人のもとで洗滌された場合においても、戻裏書により再び手形上の権利者となって権利を行使するときは、その対抗を受けざるをえない。

六　期限後裏書（後裏書・満期後裏書）

(一)　総　説

期限後裏書とは、支払拒絶証書作成後またはその作成期間経過後になされた裏書をいう（手二〇条）。期限後裏書であるかどうかは、手形記載の裏書日附によるのではなくして、真に裏書のなされた時を標準として定められるが、日附の記載のない裏書は支払拒絶証書作成期間経過前になされたものと推定される（手二〇条二項）。手形は満期の到来とともに支払の段階に入り、その支払が拒絶されまたは本来の支払がなさるべき時期が経過するときは、手形の流通証券としての機能は失われ、流通促進のための特殊の制度はその存在理由を欠くこととなる。それゆえ法は、期限後裏書は通常の指名債権譲渡の効力しか有しないものとした。なお支払拒絶証書作成期間経過前の裏書であっても、手形交換に付された手形が不渡となり、手形面に交換スタンプが押捺され、かつ不渡の旨の支払銀行の符箋の付いた手形になされたものは、期限後裏書として取扱うのが、法の趣旨からみて適当であろう（反対、最判昭五五・一二・一八民集三四―七―九四二）。

㈡　方　式

期限後裏書もその方式は通常の裏書と全く同じく（手一三条）、日附の記載も必要でなく、記名式および白地式いずれの裏書も認められる。また白地式裏書のある手形が期限後に引渡により譲渡された場合にも、期限後裏書と同様に解せられる。

㈢　効　力

⑴　移転的効力　期限後裏書も移転的効力を有し、これにより手形上の権利が移転することはもとよりであるが、しかし被裏書人は裏書人の有した権利を取得するにとどまる（手二〇条一項但書）。すなわち、手形が引受済のものであるときは引受人に対する権利を、また拒絶証書が作成されているときは前者に対する償還請求権を取得するが、そうでなければ何らの権利をも取得しない。加うるにこの場合には、手形流通の保護を要しないから、裏書による権利の移転は指名債権譲渡の効力しか有せず、被裏書人が手形上の権利を取得する場合にも、裏書人の権利に附着する瑕疵がすべて承継せられ、数個の期限後裏書があるときは、手形債務者はそのすべての裏書人に対抗し

うべかりし一切の抗弁をもって手形所持人に対抗することができる。ただしこの場合にも、民法九四条二項の適用はあるものと解すべきであって、善意の被裏書人に対して裏書人が虚偽の意思表示により手形を取得した旨の抗弁を対抗することはできなく、また期限前の裏書によりすでに切断されている人的抗弁をもって被裏書人に対抗しえないことは、いうまでもない。

(2)　担保的効力　手形外の関係における責任は別として、裏書人は手形上の責任は負わない。

(3)　資格授与的効力　期限後裏書も裏書であるから資格授与的効力を有し、連続する裏書による被裏書人は、その実質的権利を証明することを要しないで手形上の権利を行使することができ、またその者に支払った善意の手形債務者は免責される（手一六条一項・四〇条三項）。したがって、これと同様の基礎に立つ善意取得者の保護（手一六条二項）も認められてよさそうであるが、これを否定するのが通説・判例（大判大一五・七・二一民集五―六四七）である。

第三節　引　受

一　引受の意義および性質

引受とは、為替手形の支払人が手形金額支払の義務を負担する旨を表示する附属的手形行為をいう。引受は為替手形にのみ認められる制度である。為替手形の支払人は、支払人として手形に記載されただけでは手形上の義務を負わず、引受をすることにより初めて手形上の義務者となる。手形外の関係において、支払人が振出人の振出す手形の支払をなすべき義務を負う場合でも、同様である。引受はすべての為替手形について認められ、一覧払の為替手形についても引受をなしえないわけではない。これに反して、約束手形にあっては、振出人が第一次の義務者として引受人と同一の地位を兼ねているから、これについては引受は存しない。また小切手についても引受は認められず（小四条）、その支払保証（小五三条）は引受に類似するが引受ではない。

引受は手形債務の負担を目的とする単独行為である。それは手形所持人と支払人との間の契約でないのはもとより、振出人の支払委託の申込に対する承諾でもない。それゆえ、振出人または所持人の無能力・代理権の欠缺等は引受の効力には影響を及ぼさない。引受はむしろ特定の相手方のない対公衆的意思表示であるが、ただその効力は引受人が手形を呈示者に返還した時に発生するものと解すべきである。引受により為替手形は主たる債務者を有することとなる。

二　引受のための呈示

(一)　引受呈示の意義

引受により為替手形の主たる債務者を生じ、手形は信用を増し、その流通が容易化される。それゆえ、手形所持人は満期前に引受を得ておくことが利益である。そして引受がなされるためには、手形を支払人に呈示して引受が求められなければならない。これを引受のための呈示または引受の呈示という。わが国の実際では、振出人が振出に先だちまず支払人の引受を得た上で、手形を受取人に交付することが多い。

(1)手形の所持人または単なる占有者（使用人・使者・執行官等）は、(2)振出の時から満期に至るまで、(3)何時でも（ただし取引日の取引時間内であること、手七二条一項、商五二〇条）また何回でも、(4)支払人の住所において、引受のため手形を呈示することができる（手二一条）。引受呈示の時期は振出の時から満期までであるが、満期後になされた引受も引受としては有効である。また引受呈示の場所は、他地払手形および第三者方払手形にあっても、常に支払人の住所または営業所である。

㈡　引受呈示の自由およびその制限

引受の呈示をするかどうか、何時これをするかは、手形所持人の自由であるのを原則とし、これを引受呈示の自由という。しかしこれにはつぎの例外がある。

(1)　引受呈示の禁止　　振出人は、手形に引受の呈示を絶対的に禁止しまたは一定期間を限り禁止する旨を記載することができる。引受呈示の絶対的禁止は、支払の準備をさせるため引受の呈示を必要とする第三者方払手形、支払人として信用ある他人の氏名を冒用することを防ぎ、また支払人に支払担当者記載の機会を与えるため引受呈示の絶対的禁止を不適当とする他地払手形、ならびに引受呈示がないと満期を定めることが不可能な一覧後定期払手形については認められず、その他の手形についてのみ許される（手二二条二項）。これに反して、一定の期間を定めてなす引受呈示の禁止は一切の手形について許される（手二二条三項）。このような期間を定めてなす引受呈示の禁止は、売買の目的物が買主の許に到達するまで引受の呈示を禁止するような場合に実益がある。

(2)　引受呈示の義務　　引受の呈示をなすことは手形所持人の権利であって義務ではないが、これにも例外がある。すなわち、振出人（手二二条一項）または裏書人（手二二条四項、振出人が引受呈示禁止の記載をしない場合に限る）が期間を定めまたは定めないで引受の呈示をなすべき旨を記載した場合、ならびに一覧後定期払手形の場合がこれである。法が引受呈示命令の記載を認めるのは、支払人に支払の準備をする機会を与えると同時に、振出人をして支払人が支払をするかどうかを知ることをえしめようとするにある。また一覧後定期払手形にあっては、満期を定める必要から引受の呈示を要するのであって、その引受の呈示は一定の期間内になされなければならない。その呈示期間は一年であるが（手二三条一項）、振出人はこの期間を伸縮し（手二三条二項）、裏書人はこれを短縮することができる（手二三条三項）。

以上の場合において所持人が引受の呈示をなさないときは、所持人は原則として引受拒絶のみならず、支払拒絶による遡求権をも失う（手五三条二項本文）。ただし、振出人がその記載文言により引受の担保義務のみを免れようとする意思を明らかにしているときは、支払拒絶による遡求権は失われない（手五三条二項但書）。また裏書人が呈示期間を定めた場合において引受の呈示をしないときは、当該裏書人およびその保証人に対してのみすべての遡求権を失う（手五三条三項）。なお上述の期間内に引受呈示のあったことは、原則として拒絶証書により立証しなければならない（手二五条二項・四四条一項、四項・四六条）。

㈢　考慮期間（熟慮期間）

かつてはいわゆる即時引受主義がとられ、引受の呈示があった場合に支払人が直ちに引受をしないときは引受拒絶となり、直ちに拒絶証書を作成させて遡求しうるものとされていたが、支払人が引受をするにはしばしば帳簿を調べたり振出人に照会する等の必要があるから、現行手形法は支払人に一日の考慮期間を認めた。すなわち、引受の呈示を受けた場合には、支払人は第一の呈示の日の翌日に第二の呈示をなすべきことを請求することができ（手二四条一項一文）、この場合には、呈示者は第二の呈示をなすのでなければ遡求権を行うことができない。ただし、支払人が引受をなさずしかも第二の呈示をも求めないかぎり、即時に引受を拒絶したものとみなされる。支払人が第二の呈示を求めた場合には、呈示者は第一の呈示に関し引受拒絶証書を作らせ、支払人はこれに第二の呈示の請求をした旨を記載せしめる（手二四条一項二文、拒絶証書令二条二項）。そして翌日（翌日が休日であるときは次の第一取引日）の第二の呈示において引受拒絶があったときは、さらに第二の拒絶証書を作らしめなければならない。なお呈示者は右の考慮期間中手形を支払人に交付しておくことは必要でない（手二四条二項）。

三　引受の方式

引受は、手形に「引受」その他これと同一の意義を有する文字を記載し、かつ支払人が署名することによってなすのを本則とし、これを正式引受というが（手二五条一項二文）、手形の表面になされた支払人の単なる署名も引受とみなされ、これを略式引受という（手二五条一項二文）。略式引受としての署名を手形の表面に限って、裏面における署名を認めないのは、白地式裏書との混同を避けるためである。引受は必ず手形本紙にすることを要し、謄本または補箋上になすことはできない（手二五条一項一文）。引受は支払人によってなされることを要し、第三者の引受の署名は引受としての効力を有しない。そして手形の記載上引受人と支払人とが同一人であることが認められうるかぎり、その引受の有効なことはいうまでもない。これに反して、手形の記載上支払人と引受人とが同一人と認められない場合については争いがあるが、手形所持人は支払人と引受人が実質上同一人であることを立証して、支払人の引受による責任を問うことができ、遡求義務者もこれを証明して引受拒絶による遡求を免れうるものと解すべきである。

引受は単純でなければならない（手二六条一項）（例外については後述）。日附の記載も原則として必要でなく、記載しても手形上の効力を生じないが、ただ一覧後定期払手形および引受呈示命令により一定期間内に引受の呈示をなすべき手形については、遡求権保全のために引受日附の記載が必要である（手二二条一項、四項・二三条・二五条二項）。そして引受の日と呈示の日とは一致するのが通常であるから、原則として引受をした日の日附を記載するのであるが、呈示が期間の末日になされ、引受がその翌日なされた場合（手二四条）には、所持人は引受人に対して呈示の日の日附の記載を請求することができる（手二五条二項前段）。ただし、日附の記載は引受の効力には影響を及ぼさない。日附の記載がなされないときは、所持人は拒絶証書によってこれを補うことができる（手二五条二項二文)。

四　引受の抹消

引受は手形債務の負担を目的とする単独行為であるが、その効力は手形を呈示者に返還した時に生ずるものと解しなければならない。したがって、支払人がいったん引受署名をした後でも手形を返還する以前ならば、その署名を抹消して引受を撤回しうるものといわなければならない(手二九条一項一文)。そして手形上引受が抹消されているときは、手形の返還前に抹消されたものと推定され、反対の事実はこれを主張する者の方で立証をすることを要する(手二九条一項二文)。手形の返還前に引受が抹消された場合にも、支払人が書面をもって引受の通知をしたときは、その通知をした者に対しては引受の文言に従って責任を負わなければならない(手二九条二項)。

五　引受の効力

支払人は引受により手形の主たる債務者となり、満期において手形金額の支払をなす義務を負う(手二八条一項)。引受人は手形の主たる債務者であって、その義務は絶対的であり、他人の不払を条件とするものではなく、またそれは満期における支払の呈示や拒絶証書作成期間内においてその作成手続を怠ったことにより消滅するものでもない。そして引受人が支払をなすべき金額は、満期においては手形金額および利息額であるが、満期に支払をしないときは、後述の償還金額(手四八条・四九条)と同額であり、かつその義務は手形の最後の所持人に対してのみならず、償還をして手形を受戻したすべての前者(引受後の署名者たると否とを問わない)、例えば振出人に対しても認められる。ただ振出人に対しては資金関係上の抗弁を有することがあるのみである。なお数人が引受をしたときは、その数人は合同して手形金額支払の義務を負う(手四七条一項)。

六　不単純引受

単純に手形の記載内容に従ってなされた引受を単純引受といい、これに対して手形の記載内容に変更を加えまたは条件や制限を附してなした引受を不単純引受という。例えば、満期・支払地等に変更を加えたり、裏書禁止文句を附記してなした引受のごときは、不単純引受である。

引受は単純でなければならないが（手二六条一項本文）、しかし不単純引受も直ちに無効とする必要はなく、所持人および前者の利益を害しないかぎり、むしろ引受としての効力を認めるのが適当である。それゆえ法は、不単純引受は前者に対する関係においては引受拒絶としての効力を有し、手形所持人は拒絶証書を作成させて遡求権を行使することができるが、引受人自身に対する関係では引受は有効であり、引受人は引受の文言に従って責任を負うべきものとした（手二六条二項）。例えば、満期または支払地を変更して引受をした場合には、引受人はその変更された文言に従って支払の義務を負うが、手形所持人は引受拒絶があったものとして前者に対して遡求権を行使することができ、そのためには変更前の満期または支払地を標準として必要な手続をしなければならない。同様に裏書禁止引受の場合にも、引受人はその文言に従って責任を負う。すなわち、その記載により手形の裏書性は奪われないが、しかしその手形が裏書譲渡されたときは、引受人は爾後の譲受人に対しては引受当時の所持人に対して有したすべての抗弁をもって対抗することができる。なお、条件附引受は全く無効であるとしまたは条件の記載のみが無効であるとする見解もあるが、むしろ、不単純引受としての効力を有するものと解すべきである（手二六条二項参照）。

上述の原則に対してはつぎの例外がある。

(1)　一部引受　　支払人は引受を手形金額の一部に制限することができ、かような手形金額の一部についての引受も完全に有効であって、所持人は引受のない残額についてのみ引受拒絶による遡求権を行使することができる（手二六条一項但書・四三条一号・五一条、拒絶証書令五条二項）。けだし、一部引受の効力を認めても何びともそのために不利益を被らないからである。また手形金額以上の金額についてなす引受すなわちいわゆる超過引受は、超過部分につき無効と解すべきである。

(2)　第三者方払の旨を記載してなす引受　この引受は完全に有効である。すなわち、他地払手形たると同地払手形たるとを問わず、振出人が第三者方にて支払をなすべき旨を定めなかったときは、支払人は引受をなすに当りその第三者を定めることができる（手二七条一項一文、二項）。引受人がもしこれを定めなかったときは、支払地において引受人みずから支払をなす義務を負う（手二七条一項二文）。二七条一項は「第三者を定むることを得」とし、その二項は「支払の場所を定むることを得」としているが、いずれも第三者方払の記載をなすことができるという趣旨にほかならない。

第四節　保　証

一　意　義

手形保証は、手形上の義務を担保する目的をもってなされる従たる手形行為である。それは手形債務の負担を目的とする単独行為である。しかし手形保証も保証であって、他の手形上の債務を担保することを目的とするものであるから、主たる債務の存在を前提とする。したがって、主たる債務が存在しないときは、手形保証もまた無効たらざるをえない。例えば、無担保裏書人のための保証のごときである。ただし、主たる債務は保証署名の時にすでに存在することは必要でなく、後に成立すべき主たる債務のためにあらかじめ保証をしておくことも可能であって、この場合には後に主たる債務が成立したときに保証の効力を生ずる。また主たる債務は形式上すなわち手形の記載上存在すれば足り、実質的にも有効なことは必要でない（手三二条二項）。例えば、主たる債務が無能力の理由により無効となりまたは取消されても、手形保証の効力には影響はない。これはいわゆる手形行為の独立性の結果にほかならない。

手形保証は、⑴民事上の保証とは異なる。手形上の権利も手形外の契約をもって保証することができるが、手形保証は、その要式行為である点、主たる債務者が分明でない場合にもなお有効である点（手三一条四項二文）、主たる債務の実質的無効により影響を受けない点、手形保証人は特定の相手方のみならず不特定の手形所持人に対して責任を負う点などで、これと異なる。また、⑵いわゆる隠れた手形保証も手形保証ではない。隠れた手形保証とは、実際上は保証の目的で振出・裏書・引受等の他の手形行為をする場合である。この場合には、手形上は振出・裏書・引受等の行為があるのみで、行為者は振出人・裏書人・引受人として責任を負い、保証人として責任を負うものでないことはいうまでもない。ただこの場合、例えば他人の振出した手形に保証の目的で裏書をした者が、手形上の債務を負担すると同時に、手形振出の原因となった債務についても民法上の保証をしたものと認められるかが問題となるが、否定すべきである。右と同様に、⑶共同手形行為も手形保証ではない。この場合には数人が同一内容の手形債務を負う点で手形保証に類似するが、共同手形行為者は共同して一個の手形行為をなすのに反して、手形保証人は主たる債務者と共同して手形行為をなすものではない。実際には、保証の目的で共同振出、裏書等の行われることが多く、手形保証はあまり行われない。手形保証は、主たる債務者の不信用を暗示するものと認められるからである。

二　当事者

(1)　保証人たりうべき者の資格には制限はなく、第三者はもちろんすでに手形上の義務者たる者も保証人となることができる（手三〇条二項）。ただし、手形関係における前者が後者の保証人となるがごときは無意味である。

(2)　被保証人たりうる者は手形債務者である。引受人・振出人・裏書人・参加引受人のいずれでもよい。手形債務者以外の者を被保証人に指定した場合には、その保証は無効である。ただし、主たる債務は保証署名の当時すでに存在することは必要でなく、後に成立すべき債務のためにあらかじめ保証をなすことも差支えないことは、既述のとおりである。

三　方　式

手形保証は、手形または補箋上に「保証」またはこれと同一の意義を有する文字を記載し、かつ保証される被保証人を表示して、保証人が署名することによってなされる（手三一条一項、二項）（正式保証）。ただし、支払人または振出人の署名を除き、手形の表面になした単なる署名は手形保証とみなされ（手三一条三項）、また保証には被保証人を表示することを要するが、その表示がないときは、常に振出人のためにしたものとみなされる（手三一条四項）（略式保証）。なるべく多数人に保証の利益を受けさせせようとする趣旨である。

なお保証は手形金額の全部のみならず、一部についてなすことを妨げない（手三〇条一項）。また保証人は拒絶証書作成免除（手四六条一項）および予備支払人（手五五条一項）の記載をなすことができる。

四　保証をなしうべき時期

これについては別段の規定はないが、満期前に限らず、満期後でも手形債務の時効完成前ならば保証をなすことができる。

五　効　力

㈠　保証人の責任

手形保証人は自己の手形行為により独立の手形上の義務を負担するが、その義務の内容は主たる債務に従って定まる。

(1)　保証人は主たる債務者（被保証人）と同一の責任を負う（手三二条一項）。すなわち、主たる債務者が引受人であるときは保証人も引受人と同様の手形債務を負い、主たる債務者が償還義務者であるときはこれと同じ償還義務を負う。したがって、主たる債務者に対して権利保全手続をとったときは、保証人に対してその手続を繰り返す必要がないと同時に、主たる債務者に対する権利が手続の欠缺によって消滅するときは、保証人に対しても請求をなすことはできない。また主たる債務が支払・相殺・混同・免除・時効等により消滅するときは、保証債務もまた消滅する（最判昭四五・六・一八民集二四―六―五四四）。また償還義務者の保証人は、後者から引受拒絶または支払拒絶につき通知を受ける権利を有する（手四五条二項）。しかし、保証人は手形金額の一部につき保証をなし（手三〇条一項）、拒絶証書の作成を免除し（手四六条一項、三項）、予備支払人を記載する（手五五条一項）など、その債務に主たる債務に存しない制限を附することを妨げない。

(2)　保証人は主たる債務者と合同して責に任ずる（手四七条一項）。すなわち、両者は連帯債務者のような地位に立ち、手形所持人は主たる債務者および保証人に対して各別にまたは共同的に請求をなすことができる（手四七条二項）。したがって、手形保証人には民法上の保証人のごとき催告および検索の利益は（民四五二条・四五三条）認められない。また商法五一一条二項もその適用の余地はない。

(3)　このように手形保証人の責任の範囲および態様は主たる債務者と同一であるが、保証人は自己の手形行為により独立して手形上の義務を負担したものであるから、主たる債務が形式上有効である場合には、たとえそれが実質上無効であっても、なお手形上の義務を免れない。同じ理由にもとづき保証人は、主たる債務者の有する人的抗弁をもって手形所持人に対抗することをえない、とするのが通説である（最判昭三〇・九・二二民集九―一〇―一三一三）。しかし、主たる債務者が手形所持人に対して有する原因関係の不存在・無効・取消の抗弁は保証人も援用しうるものと解するのが適当であろう。判例には、手形振出の原因関係上の債務の不発生が確定した場合に、受取人が振出人のための保証人に対し手形金の請求をするのは、権利濫用であって許されないとするものがある（最判昭四五・三・三一民集二四―三―一八二）。

(二) 保証人の求償権

手形保証人がその債務を履行したときは、自己の債務が消滅するのはもとより、同時に被保証人たる主たる債務者の債務も消滅する。その結果、保証人は手形外の実質関係において被保証人に対し求償することができるが（民四五九条以下）、なお手形法は履行をした保証人は法律上当然に被保証人およびその者の債務者（遡求義務者・引受人等）に対して手形上の権利を取得するものとしている（手三二条三項）。この保証人の求償権は、所持人が有した権利をそのまま取得するものではなくして、手形の流通の場合におけると同様、前者に対する人的抗弁の滌除された手形上の権利を取得するのである。それゆえ保証人は、被保証人が所持人に対して有していた人的抗弁、または被保証人の債務者が被保証人に対して有する人的抗弁をもって対抗せられない。この権利の取得は手形の交付なくして生ずるが、保証人は手形上の権利者として、手形所持人に対し手形の交付を請求することができる。なお保証人はかかる手形上の権利を取得することにより、被保証人との間に有する一般私法上の補償請求権を失うものでないことはいうまでもない。

㈢　数人の保証人

同一の手形債務者のために数人の手形保証人があるときは、その数人の保証人は合同して責任を負う（手四七条一項）。その一人が履行をしたときは、その者は被保証人およびその債務者に対する手形上の権利を取得するが（手三二条三項）、保証人相互間に生ずる求償関係については連帯債務に関する民法の規定に従う（民四四二条）。

第五節　支　　払

一　緒　　言

ひろく支払といえば、支払人・振出人・裏書人・保証人・参加引受人等すべての手形関係者による支払を包含するが、ここにいわゆる支払は、手形上第一次に手形金額を支払うべき者として指定された支払人（引受をなしまたはなさない）または支払人のために支払事務を担当する支払担当者による支払を意味する。かような支払のみが手形関係の本来の目的であり、完全に手形関係を消滅せしめる効果を有するのである。その他の者によって支払がなされる場合には、手形関係はなお求償のために残存する。

二　支払のための呈示

㈠　総　　説

手形は流通証券であり手形債務は取立債務であるから、その支払を受けるためには、所持人の方で手形を呈示して支払を求めなければならない（呈示証券）（裏書禁止手形も同様）。これを支払のための呈示または支払の呈示という。支払の呈示はつぎの二つの点において意義を有する。第一は、引受人を遅滞に附することである（商五一七条）。

引受人は満期の到来により当然に遅滞の責に任ずるのではなくして、満期後に支払のため手形の呈示があった時から初めてその責に任ずるのである。第二は、償還請求の条件たることである。手形所持人が支払拒絶を理由として前者に対し償還の請求をするには、法定の支払呈示期間内に支払の呈示をして拒絶証書を作らしめることを要し、これを怠ると償還請求権を失う（手五三条）。

㈡　支払呈示の当事者

呈示者は手形所持人またはその代理人たることを要する。引受の呈示と異なり、手形の単なる占有者では足りない（手二一条参照）。被呈示者は支払人または引受人であるが、第三者方払手形の場合（手形に「支払場所何某銀行某地支店」というように支払担当者の記載のある場合）にはその第三者である。引受人が破産宣告を受けた場合には、呈示は引受人に対してではなく、破産管財人に対してなすべきである。

㈢　支払呈示の時期

支払の呈示をなしうべき期間を支払呈示期間という。支払呈示期間は、引受人附遅滞の要件としての支払呈示期間と、償還請求権保全の要件としてのそれとによって異なる。

(1)　引受人を遅滞に附するためには、支払をなすべき日以後その債務が時効によって消滅するまでの期間内に支払の呈示をすれば足りる。

(2)　償還請求権保全のためには、(ア)確定日払手形・日附後定期払手形または一覧後定期払手形にあっては、原則として支払をなすべき日またはこれに次ぐ二取引日内に支払の呈示をすることを要する（手三八条一項）。ここにいわゆる「支払を為すべき日」とは、実際上支払のなさるべき日であって、必ずしも満期とは同一でない。すなわち、支払をなすべき日は通常は満期であるが、満期が法定休日に当たる場合には、これに次ぐ第一の取引日まで支払を請求することをえないから（手七二条一項）、満期に次ぐ第一の取引日が支払をなすべき日となる。取引日とは、法定休日以外の日を指し、法定休日とは祭日・祝日・日曜日その他一般の休日（例えば慣習的な休日たる一月二日）をいう（手八七条）。ただし、恩恵日すなわち手形債務者のために恩恵として支払猶予を与える期間は、法律上のものたると裁判上のものたるとを問わず認められない（手七四条）。(イ)一覧払手形にあっては、呈示により満期が定まるからまず呈示があることを要し、呈示は振出日附から、また振出人が一定の期日前の支払呈示を禁じたときはその日附から、一年内になすことを要する。ただし、振出人は全員のためにこの期間を伸縮し、また裏書人は自己のために短縮しうることは、既述のとおりである（手三四条）。そして期間の計算には初日を算入せず（手七三条）、かつ最後の日が休日であるときは、次の第一取引日まで伸長される（手七二条二項）。

以上(ア)および(イ)の場合においては、所持人は支払呈示期間内に支払の呈示をなし、支払拒絶があったときは拒絶証書によりこれを証明するのでなければ、前者に対する手形上の権利を失う（手五三条一項一号）。ただし、引受人に対する権利までも失うものでないことはいうまでもない。

(四)　支払呈示の場所

支払の呈示は、支払地における支払人の住所または営業所、第三者方払のときは、その第三者方においてなすことを要する。ただし、支払呈示期間経過後は、第三者方払手形の支払の呈示も、支払地内にある引受人の住所または営業所においてしなければならない（最判昭四二・一一・八民集二一―九―二三〇〇）。被呈示者の同意があれば、その者の支払地内の居所その他の場所で有効な呈示をすることができる。支払場所とされている銀行が手形所持人であるときは、その銀行が満期に手形を所持しておれば、支払の呈示があったものと認められる。また手形交換所においてした呈示も、支払の呈示たる効力を有するものとされている（手三八条二項・八三条、昭和八年司法省令三八号）。

手形交換所とは、一定地域内の銀行が手形交換を行う目的をもって組織した団体、またはその団体が手形交換を行うために施設した場所をいう。ここにいわゆる手形交換所はその場所の意味である。手形交換所において手形の呈示をなしうる者はその交換所の加盟銀行に限り、かつ加盟銀行は他の加盟銀行を支払人または支払担当者とする手形は手形交換に付することを要するのであって（各交換所の規則）、これにより手形の集団的決済が実現される。実際上、手形所持人が手形交換所加盟銀行を支払人または支払担当者とする手形につき、みずから支払の呈示をすることはほとんどなく、自己の取引銀行に取立委任の目的をもって裏書をし、手形交換所を通じて取立をしてもらうのが常である。

㈤　支払呈示の方法

支払の呈示の方法としては、完全な手形を現実に被呈示者に呈示しなければならない。謄本または白地補充前の白地手形の呈示は適法な呈示ではない。支払人が支払拒絶をなすこと明らかな事情がある場合にも、やはり右のような呈示を必要とする。ただし、正当な時期および場所に被呈示者がおらないか、正当な場所が不明なときは、所持人が必要な手段をとったかぎり、呈示があったものといえる。なお、裁判上の請求の場合には、訴状の送達に手形の呈示と同一の効力があるとするのが判例（最判昭三〇・二・一民集九―二―一三九）であるが、賛成しがたい。もっとも時効中断のためには、裁判上の請求たると裁判外の請求たるとを問わず、手形の呈示を要しないものと解しなければならない（最判昭三八・一・三〇民集一七―一―九九）。

三　支払の時期

支払は前述の支払呈示期間内になされるのが原則である。

⑴　満期前には、手形所持人は支払を請求することができないのみならず、支払を受けることをも強制されない

（手四〇条一項、民一三六条参照）。所持人は満期までは手形が流通することについて利益を有するからである。所持人の同意があれば、支払人は満期前でも有効に支払をなすことができるが、無権利者に支払ったような場合の危険または支払委託が取消された結果生ずることあるべき不利益は、支払人において負担しなければならない（手四〇条二項）。ただここで問題となるのは、満期前に引受人が手形の支払をするのでなく、その裏書譲渡（戻裏書）を受けた場合（手一一条三項）には、裏書人が無権利者であっても、これにつき悪意または重過失がないかぎり、引受人は手形を善意取得し（手一六条二項）、その手形につき支払義務を負わないことになることとの関係である。異論はあるが、右の場合との権衡から考えて、引受人が満期前に無権利者に支払った場合にも、一六条二項の規定を類推して、引受人に悪意または重大な過失がないかぎり、その支払を有効と認めるべきであろう。

(2)　満期後は、所持人は引受人に対して支払を強制しうるし、引受人も支払うべき金額の増大を防ぐために進んで支払の受領を求め、かつ資金義務者に対して補償を請求することができる。また引受をなさない支払人も、支払呈示期間内は、支払をしてその結果を資金義務者に帰せしめることができる。しかし支払呈示期間経過後は、引受をした支払人はなお時効期間内の支払によって振出人に対し補償の請求をなすことができるが、引受をしていない支払人は、特約がないかぎり、その支払った結果を振出人に帰せしめることはできないこととなる。

四　支払の猶予または延期

(1)　当事者の意思にもとづく場合　(ア)すべての手形関係者の同意を得て手形の満期を変更するときは、適法な満期の変更となり、手形上支払延期の効果を生ずる。一部の手形関係者のみの同意を得て満期を変更するときは、同意をしない者に対する関係では手形の変造と認められる。

(イ)旧手形に代えて満期のみを変更した新手形（延期手形）を振出す場合にも、手形上支払延期の効果を生ずる。

これを手形の切換または書替といい、これに、旧手形を回収するとともにそれに代えて新手形が交付される場合と、旧手形が回収されることなく、新旧両手形ともに債権者の手に保持される場合とがあり、わが国では旧手形を回収するのが普通であることは、先に述べたとおりである（七〇頁）。古い判例は、この場合には手形の書替により更改を生ずるものとしているが（民五一三条二項）、更改は有因契約であって手形債権の無因性と相容れない。この場合には、旧手形の支払に代えて新手形が振出されるのにすぎないから、その法律上の性質は代物弁済と解すべきである。そして新手形上の権利と旧手形上の権利とは、それぞれ別個の手形行為により発生したものであるから、法律上は別個の権利であるが、新手形は単に旧手形の支払延期のために振出されたものにすぎないから、新旧両手形上の権利は実質的には同一のものと認められる。したがって、旧手形上の債務のために設定された担保は当然新手形上の債務を担保することとなり、旧手形について認められる抗弁は新手形についても対抗することができ、また手形の振出につき取締役会の承認を要する場合（商二六五条）にも、旧手形の振出について承認があれば、新手形の振出につき改めて承認を得ることを必要としないのである。右と異なり、旧手形が回収されない場合にも、新手形は旧手形の支払延期のために振出されるのであって、旧手形もその効力を失うことなく（最判昭三一・四・二七民集一〇—四—四五九）、新旧両手形ともにその効力を有するが、ただ手形債務者は旧手形については支払猶予の人的抗弁を有する。手形所持人は新旧いずれの手形によっても支払を求めることができるが、そのいずれによって支払を受ける場合にも、新旧両手形を返還しなければならないことはいうまでもない。

(2)　法律の規定にもとづく場合（不可抗力）　戦争・地震・経済恐慌その他一国全体またはある地方に関する事変に際して、国家権力の発動によって行われる手形債務の支払の猶予（モラトリウム）がこれである（手五四条）。

五　支払の目的

㈠　支払をなすべき貨幣

支払の目的は一定額の金銭であって、支払をなす者はその選択に従い各種の通貨をもって支払うことができる（民四〇二条一項）。外国貨幣で手形金額を表示した場合にも、内国の通貨で支払うことをうるのが原則である（手四一条一項、民四〇三条）。ただし、振出人が特殊の通貨で支払うべき旨（外国通貨現実支払文句）を記載したときは、これに従わなければならない。

外国貨幣をもって定められた手形金額を内国貨幣で支払う場合には、両貨幣の間の換算の問題を生ずる。この場合換算率は、振出人が手形上に特別の換算率を定めていないかぎり、支払地の慣習に従って定める（手四一条二項）。すなわち通常は為替相場によって定める。その為替相場は原則として満期の日（満期が休日の場合はそれに次ぐ第一の取引日）における相場による（手四一条一項一文）。ただし、債務者が支払を遅滞したときは、所持人の選択により満期または支払の日の相場によって換算すべきである（手四一条一項二文）。そうでなければ、債務者が相場の変動を利用するため故意に支払を遅延する弊を生ずるからである。なお、振出国の通貨と支払国の通貨とが同名異価（例えばスイスフラン、ベルギーフラン、フランスフランなど）であるときは、手形金額は支払地の通貨によって定めたものと推定される（手四一条四項）。

㈡　一　部　支　払

手形金額の一部についてなされる支払も有効であって、所持人はこれを拒むことはできない（手三九条二項）。一部引受があった場合に限らず常にそうである。けだし、手形金額は可分でかつ一部支払を認めても格別所持人に酷でなく、しかも償還義務者にとっては有利だからである。一部支払があるときは、所持人は残額についてのみ前者に対して遡求することができる。その遡求をするためには手形が必要であるから、支払人は一部支払により手形の返還を求めることはできない。そこで支払人は所持人に対して、手形上に一部支払のあった旨を記載することおよび受取証書の交付を請求することができるものとされている（手三九条三項）。もし所持人が一部支払を拒んだときは、支払拒絶証書を作成させることができず、前者に対する遡求権を失う。

六　請求者の受領資格の調査

㈠　総　説

元来債務は真の権利者またはその者から権利行使の権限を与えられた者に弁済されることを要し、債務者が弁済をするに当たっては、請求者が真の権利者であるかどうかを調査しなければならない。しかしながら、流通証券たる手形についてこの原則を貫くならば、支払人は何らの面識もない手形所持人に対し自己の危険において支払うほかなく、安心して支払をなすことはできないから、手形取引の円滑は期待しがたい。それゆえ、法律はこの点を著しく簡便にし、満期において支払をなす者（引受をなしまたはなさない支払人のほか、第三者方払手形における支払担当者を含む、以下において単に支払者という場合も同じ）は、その支払が一般原則によれば無効である場合であっても、悪意または重大な過失がないかぎり、その責を免れるものとした（手四〇条三項）。この点は手形流通の場合における善意者の保護（手一六条二項）に似ているが、支払人は取得すると否とが自由な一般の取得者と異なり支払を強制されているだけに、その保護はさらに厚くなければならない。なおこの支払人の保護は満期後の支払についてのみ認められ、満期前の支払が支払人の危険においてなさるべきことは、すでに述べたとおりである（手四〇条二項）。

㈡　調査義務の有無

支払人が支払をなすに当たり、手形が法定の方式を具備するかどうか、自己の署名が真正であるかどうかを調査しなければならないことはいうまでもないが、そのほかにいかなる範囲まで請求者の資格を調査すべきかについては、つぎの三つの点を区別して考察しなければならない。

(1)　形式的資格の調査　いわゆる形式的資格とは、請求をなす者が手形の記載において権利者と認めうるかどうかということである。裏書ある手形においては連続する裏書の最後の被裏書人、最後の裏書が白地式であるときはその手形の占有者、裏書禁止手形にあっては受取人が形式的資格を有する。かかる所持人の形式的資格は手形の記載から知りうる事項であるから、支払をなす者の方でその調査をなす義務を負い（手四〇条三項二文）、これを怠ったときは、受領者が実質的権利者でないかぎり、さらに正当な権利者に支払わなければならない。

(2)　実質的資格の調査　これは、請求をなす者が真の権利者であるかどうかの調査である。支払をなす者はかかる実質的資格の調査をなす義務を負わないし（手四〇条三項の「裏書人の署名を調査する義務なし」とはこの意味）、また所持人に対してその立証を求める権利もない。それゆえ、上述の形式的資格を有する所持人に支払をなすかぎり、最後の裏書が偽造で手形の記載上所持人とされている者が真の権利者でない場合にも、支払をなした者は免責される（手四〇条三項）。

(3)　同一の調査　これは、手形の記載上権利者たる者と現に請求をなす者とが同一人であるかどうかの調査である。支払をなす者はかかる同一の調査をなす義務を有しない（民四七〇条参照）。その根拠を手形法四〇条三項に求める見解が少なくないが、この規定は裏書の連続と署名の真偽の調査について定めるのみであるから、請求者の同一性・その支払受領能力（破産者でないかどうかなど）ないし代理権等に関する調査義務の存否をこれから導くことはできないのであって、一般の理論によって決するほかない。

㈢　調査義務の程度

上述のごとく形式的資格を有する手形所持人に支払をした者は、所持人が真正の権利者であるかどうかに関係なく免責されるが、しかしこれはひっきょうかかる調査を支払者に要求することが酷であり、手形取引の要求にも合致しないからにほかならない。したがって、支払をなす者がたまたま請求者が真の権利者でないことを知る場合には、その事実を主張して支払を拒否することができ、その事実を容易に立証しうる場合には進んで支払を拒否することを要するものとするのが、信義誠実の要求でなければならない。法が、支払をなす者には請求者の実質的資格を調査する義務はなく、この点につき悪意または重大な過失がないかぎり免責されるとしているのは、この意味にほかならない（手四〇条三項）。そしてここにいわゆる悪意は、統一条約の原文が fraude（詐偽）の語を用いていることによっても知りうるごとく、一六条二項にいわゆる悪意（mauvaise foi）とは異なり、請求者が無権利者であることを知るのみならず、容易にこれを立証しうるにかかわらず、故意に支払を拒まなかったことをいい、重過失とは、容易に立証して支払を拒みうるのにかかわらず、拒まなかったことにつき重大な過失があることをいう。形式的資格をそなえた請求者は適法な権利者と推定されるから（手一六条一項一文）、支払者が支払を拒絶するためには、反証をあげてその推定を破らなければならない。しかも支払者は支払を強制される者であるから、単に請求者が無権利者であることを知るのみで、訴訟上その立証をなしえない場合にまでも支払を拒絶すべきものとするならば、その者をして不確実な訴訟を引受けしめる結果となり、はなはだ酷であるのみならず、ひいて手形取引の円滑を阻害することともなるであろう。手形の支払の場合（手四〇条三項）における悪意の意味が上述のごとく解されるのは、このゆえである。

なお上述のところは、形式的資格の効力の及ぶ請求者の実質的権利についてのみ妥当するのであって、その他の請求者の同一性・その代理権の有無等については同様に論ずることはできない。これらの事項については形式的資格の効力は及ばないから、手形所持人の方でその立証をしないかぎり、被請求者は支払を強制されることはないわけである。それゆえ、支払者に通常の意味における悪意または重大な過失（手一六条二項参照）があるときは、免責されないと同時に、支払者はそれらの事項を調査する権利をも有するものと解すべきである（民四七〇条参照）。

七　支払の態様

手形は受戻証券であって、支払人は支払をなすに当たり、所持人に対して手形に受取を証する記載をなして交付すべきことを請求することができる（手三九条一項）。また一部支払の場合には、支払人はその支払があった旨の手形上の記載および受取証書の交付を請求することができる（手三九条三項）。

なお手形債務は支払のほか相殺・免除・更改・代物弁済等の一般債務消滅原因によって消滅するが、これらの場合にも手形債務者は手形の交付を請求することをうるものといわなければならない。けだし、その手形が善意の第三者の手に渡るときは、再び支払わなければならない危険があるからである。したがって、手形所持人が手形債権を自働債権として相殺をする場合には、手形の交付が相殺の効力発生要件をなすものと解しなければならない。これに反して、手形債務者が手形債権を受働債権として相殺をする場合には、手形の交付はなくとも相殺の効力を生ずるものと解して差支えない。

八　手形金額の供託

支払呈示期間内に支払の呈示がないときは、手形の各債務者（引受人およびその保証人）は所持人の費用および危険において手形金額を所轄官署に供託し、その債務を免れることができる（手四二条）。供託の手続については、民法四九五条・四九六条および供託法の規定による。

第六節　引受拒絶および支払拒絶による遡求

一　総　説

手形関係の目的は、手形金額が満期において支払人により支払われることにあるが、それは、或いは引受拒絶・支払人の破産等により著しく不確実となり、或いは現実の支払拒絶（いわゆる不渡）によって阻止されることがあるのを免れない。このような場合に法は、その手形の作成または流通に関与した者に支払の代償を提供させることにより、所持人をできるだけ所期の支払があったと同一の地位に立たしめるように努めている。これが遡求の制度である。この遡求制度は民法上の瑕疵担保責任と同一の趣旨に出たものである。

為替手形における遡求制度に関する立法の主義には、(1)引受拒絶の場合には担保請求権を認め、支払拒絶の場合に償還請求権を認めるもの（二権主義）、(2)引受拒絶の場合にも支払拒絶の場合と同様直ちに償還請求権を認めるもの（一権主義）、(3)引受拒絶の場合に担保請求権と償還請求権の両者を認め、遡求権者または遡求義務者にその一つを選択させるもの（選択主義）の三つがある。引受がなくても必ずしも満期に支払がないとは断定できないから、理論的には第一の主義がまさるようであるが、引受がないときは支払もないのが普通であるし、担保の提供と支払は義務者にとって苦痛の程度に大差はないから、実際上は第二の主義が最も便利である。わが旧法は二権主義をとっていたが、現行法は一権主義をとる。

二　遡求当事者

遡求権利者は、まず最後の手形所持人であり（手四三条・四七条一項）、ついで償還をした裏書人（手四七条三項）、保証義務を履行した保証人（手三二条三項）および参加支払人（手六三条一項）である。

遡求義務者は、振出人（手九条一項）・裏書人（手一五条一項）・これらの者の保証人（手三二条一項）および参加引受人（手五八条一項）である。引受人は主たる債務者であって、遡求義務者ではない。

三　遡求の権利義務の態様

遡求義務者たる振出人・裏書人および保証人は、これに主たる債務者である引受人を加え、所持人に対し合同して（solidairement）手形金額支払の責任を負う（手四七条一項）。ここにいわゆる合同責任とは、右の義務者の各自が手形金額の全部につき責任を負い、しかもそのうちの一人の支払により当該債権者に対しては他の者もすべてその責任を免れる関係をいう。一見連帯債務の関係のようであるが、右らの者の内部関係には負担部分はなく、窮極においては引受人または振出人の全部的責任に帰する点でこれと異なり、いわゆる不真正連帯の場合にあたる。それゆえ合同責任とよばれる。

遡求義務者は右のように合同して責任を負うから、所持人は任意の遡求義務者に対して、その債務を負った順序にかかわらず、各別にまたは共同的に請求をすることができる（手四七条二項）。また義務者の一人に対して請求をしても、他の義務者に対する権利を失うことなく、さらにこれに対して請求することができる。さきに請求をした者の後者に対しても同様である（手四七条四項）。すなわち、償還義務は合同的で、かつ超躍的遡求および変更権が認められている。

以上述べたところは再遡求の場合にも当てはまり、手形を受戻した遡求義務者はその前者に対して同様の権利を有する（手四七条三項）。

四　遡求の要件

(一)　満期前の遡求の場合

(1)　実質的要件

(a)　引受の全部または一部の拒絶（手四三条一号）　不単純引受のあった場合（手二六条）・支払人の所在不明の場合（拒絶証書令二条二号）等をも包含する。

(b)　引受をなしまたはなしていない支払人の破産（手四三条二号）　破産宣告があれば足り、その確定と否とは問わない。和議の開始決定（和議法一二条一項）・会社更生手続の開始決定（更四五条）・会社の整理開始命令（商三八一条）・特別清算開始命令（商四三一条）のあった場合もこれに準じ、また破産は手形振出後に生じたものであることを要しない。

(c)　引受をなしまたはなしていない支払人の支払停止・その財産に対する強制執行の不奏効（手四三条二号）　強制執行は手形所持人がみずからなしたことは必要でなく、いずれかの債権者のなした強制執行が効を奏しない場合でもよい。

(d)　引受呈示を禁止した手形の振出人の破産（手四三条三号）　引受呈示を禁止された手形は振出人の信用にもとづいてのみ流通するから、その破産は引受人の破産と同視されているのである。

以上の原因が存するときは、満期前に遡求をなすことができるが、遡求権行使のときにその原因が存続していることを要するものと解すべきである。

(2)　形式的要件

(a)　引受の呈示　引受の呈示は引受拒絶による遡求に必要であるが、これを怠っても支払拒絶による遡求権までも失うわけではない。ただし、引受呈示命令のある手形（手二二条一項、四項）および一覧後定期払手形（手二三条）については、引受の呈示を怠るとすべての遡求権を失うこととなる（手二五条二項・五三条二項）。

(b) 拒絶証書の作成　引受の呈示があったにかかわらず支払人が引受を拒絶したときは、公正証書たる引受拒絶証書を作らせてこれを立証しなければならない（手四四条一項）（拒絶証書については一六七頁以下参照）。他の方法で証明しうる場合でも、拒絶証書を作らせないかぎり、償還の請求をすることはできない。引受拒絶証書の作成期間は引受呈示期間に同じく（手四四条二項）、この期間内は何度でも引受の呈示をなすことができ、一度引受の拒絶があれば直ちに拒絶証書を作らせることを要するわけではない。なお引受拒絶証書を作成させたときは、満期が到来したのち遡求する場合にも、あらためて支払の呈示をなしかつ支払拒絶証書を作らすことは必要でない（手四四条四項）。支払人の支払停止またはこれに対する強制執行の不奏効の場合には、満期前であっても、所持人は一応支払のための呈示をして支払拒絶証書を作らせた後でなければ、遡求することができない（手四四条五項）。

右のとおり原則として拒絶証書の作成を必要とするが、拒絶証書の作成免除の場合にはその必要はない（手四六条）。また引受をなしもしくはなしていない支払人、または引受呈示を禁じた手形の振出人が破産の宣告を受けた場合にも、拒絶証書の作成を要せず、破産決定書を提出すれば足りる（手四四条六項）。和議開始決定があった場合にも、和議開始決定書の提出で足りるであろう。

(c) 参加の請求　支払地における予備支払人の記載があるときは、所持人はこれに手形を呈示して参加引受を求め、その拒絶があったことを拒絶証書により証明するのでなければ、予備支払人を記載した者およびその者の後者に対して遡求権を行うことができない（手五六条二項）。

(二) 満期後の遡求の場合

(1)　実質的要件　これは、満期において支払人が支払をしないことである（手四三条一文）。支払が積極的に拒絶された場合のみならず、支払人の不在または所在不明などをも含む（拒絶証書令二条二号）。数人の支払人があるときは、その全員の支払拒絶がなければならない。

(2)　形式的要件

(a)　支払の呈示　支払拒絶の有無を決するためには、まず適法な支払の呈示がなされなければならない。支払の呈示は、支払呈示期間（手三八条一項・三四条）内に、手形所持人が支払人または支払担当者に対し手形を呈示して支払を求めることによって行われる。支払拒絶証書作成免除の場合にも（手四六条）、支払の呈示は免除されない。支払のないことが確実な場合にも、支払の呈示は必要である。ただし、すでに引受拒絶証書を作成させているときは、このかぎりでない（手四四条四項）。なお所持人が正当な時に正当な場所に赴いたが、支払人に面会することができないか、または支払人の営業所もしくは住所が不明なような場合には、支払の呈示があったと同一の効力が認められ（拒絶証書令二条一項二号、三号参照）、また不可抗力による場合には、法律により支払の呈示が免除されている（手五四条四項）。

(b)　拒絶証書の作成　支払の拒絶は、支払拒絶証書によって証明することを要する（手四四条一項）。支払拒絶証書は、確定日払・日附後定期払または一覧後定期払手形にあっては支払をなすべき日またはこれに次ぐ二取引日内に（手四四条三項）、一覧払手形にあってはその呈示期間内に（手三四条）、これを作らしめることを要する。ただし、拒絶証書の作成が免除されている場合（手四六条）、すでに引受拒絶証書作成ずみの場合（手四四条四項）および不可抗力が満期から三〇日以上継続する場合（手五四条四項、五項）には、支払拒絶証書の作成を必要としない。

(c)　参加の請求　支払地における予備支払人または参加引受人があるときは、これに対し手形を呈示して参加支払を求め、その拒絶があったことを拒絶証書により証明するのでなければ、予備支払人を記載した者または被参加人およびこれらの者の後者に対しては遡求権を行うことができない（手六〇条）。

㈢　再遡求の場合

手形所持人から償還請求を受けた遡求義務者の一人が償還をするときは、その者およびその後者の手形上の義務は消滅するが、その者の前者の義務は依然として存続する。そして遡求義務を履行した者は、手形とともに前者に対する手形上の権利を再取得し、その前者に対して遡求することができる。これを再遡求という。この場合における手形上の権利の取得については種々の説明がなされているが、いったん裏書により確定的に被裏書人に移転した権利が、償還義務の履行により再取得されるものと解すれば足りると考える。そして再遡求をするためには、裏書人がその遡求義務にもとづいて償還をなし、手形を受戻したことを要する（手五〇条）。それゆえ、例えば遡求義務が時効もしくは手続の欠缺により消滅した後に償還をなし、または無担保裏書をしたにかかわらず償還をしても、前者に対して再遡求することはできない。また裏書人が前者に対して遡求をするには有効な手形を返還することを要し、したがって主たる債務者に対する権利が時効によって消滅したような場合には、その手形によってもはや遡求をすることはできない。再遡求をするには、手形・拒絶証書および受取を証する記載をした計算書をその前者に交付することを要する（手五〇条一項）。再遡求権者は必ずしも連続する裏書の最後の所持人として指定された者であることを要せず、手形と拒絶証書の所持により再遡求権者としての推定を受けるが、償還により手形を受戻した者は自己および後者の裏書を抹消してその形式的資格を整えることもできる。（手五〇条二項）。

なお裏書人は裏書により一切の手形上の権利を被裏書人に譲渡するが、償還をすることによって再び手形上の権利を取得するのである。したがって裏書後引受があった場合には、引受人に対する権利をも取得するのが当然である。かように償還により裏書人は手形上の権利を再取得するのであるが、その取得は遡求義務の履行として強制的に行われるのであるから、自己の後者について存した人的抗弁は、償還をした裏書人の善意悪意を問わず、対抗を受けない。これに反して、彼自身に対する人的抗弁の対抗を受けるのは当然である。

五　不可抗力による呈示期間の伸長

(1)　総説　引受または支払の呈示および拒絶証書の作成は、上述のごとく一定の期間内にしなければならないが、しかし不可抗力によってこの手続をとりえないことがありうる。かような場合にも、独法系の立法は不可抗力の事情を考慮せず、所持人をして遡求権を喪失せしめるのに反して、英米法および仏法系の立法は不可抗力がやんだ後右の手続をなしうるものとしている。わが旧法は独法の主義によっていたが、大正一二年の震災および昭和二年の金融恐慌に際して施行された支払猶予令（大正一二年勅令四〇四号・四二九号、昭和二年勅令九六号）は、手形債務についてもその呈示および拒絶証書作成の期間を延長（但し満期の延期ではない）すべきものとした。現行法は一般的に、避くべからざる障害すなわち不可抗力により呈示または拒絶証書の作成が妨げられる場合につき、特別の規定をした（手五四条）。

(2)　不可抗力の意義　ここにいわゆる不可抗力とは、外部から生じた手形上の権利の保全手続の遂行を妨げる出来事であって、通常必要と認められる注意をしても避けることのできないものをいう。戦争・変乱・ストライキ・震災・交通遮断等の事変はもとより、いずれかの国（日本はもちろん条約加盟国に限らず）の法令による禁制すなわちいわゆるモラトリウムがこれに属する。必ずしも多数人に影響のある一般的災害のみに限らないが、しかし所持人または所持人が手形の呈示もしくは拒絶証書の作成を委任した者についての単純な人的事由、例えば疾病のごときは不可抗力を構成しない（手五四条六項）。なお不可抗力は手形上の権利保全手続をなすべき期間の終期に存したことを要し、単にその開始の時または中途に存するのみでは足りない。

(3)　不可抗力が権利保全手続に及ぼす影響　右のような不可抗力があった場合に、手形上の権利の保全手続にいかなる影響を生ずるかというに、その不可抗力の継続期間の長短に応じて、つぎのように定められている。まず(ア)不可抗力が存するときは、原則として権利保全手続をなすべき期間が伸長せられ（手五四条一項）、所持人は不可抗力がやんだ後遅滞なく引受または支払の呈示をなし、かつ必要があれば拒絶証書を作らせて遡求をなすことができ、これを怠ると遡求権を失う（手五四条三項）。しかし(イ)不可抗力が満期から三〇日を超えて継続するときは、手形の呈示および拒絶証書の作成を要しないで、遡求権を行うことができる（手五四条四項）。そして(ア)(イ)いずれの場合にも、手形所持人はその不可抗力を自己の裏書人に通知し、かつ手形または補箋にその通知を記載し日附を附して署名することを要し、後者から通知を受けた者はさらにその前者に通知しなければならない（手五四条二項・四五条一項）。なお上述(イ)の場合の三〇日の期間は、呈示期間の経過前であっても、一覧払および一覧後定期払手形のように呈示によって初めて満期の定まる手形については、所持人が裏書人に不可抗力の通知をなした日から起算する（手五四条五項）。けだし、かかる手形については呈示期間を徒過しないかぎり遡求権は失われないが、しかし所持人は何時でも手形を呈示して権利を行使しうるのであるから、権利行使の意思があるにかかわらず不可抗力により妨げられる所持人の利益を考慮して、この便法が設けられたのである。

六　拒絶証書の作成免除

(1)　緒説　遡求の一要件たる拒絶証書の作成は、主として遡求義務者のために引受または支払拒絶の事実を明確にすることを目的とするから、遡求義務者の方で、作成費用の負担を免れまたは引受もしくは支払拒絶の事実の公表を避けるために、その利益を放棄しようとするかぎり、その効力を認めて差支えない。これが拒絶証書作成免除の制度である。

(2)　免除をなしうる者　　拒絶証書の作成免除をなしうる者は、遡求義務者たる振出人・裏書人・保証人（手四六条一項）ならびに法に規定はないが拒絶証書の作成を前提として債務を履行すべき参加引受人（手五八条一項・六〇条）である。引受人およびその者の保証人は免除をなすことはできない。

(3)　免除の形式　　免除の方式としては、「拒絶証書不要」・「無費用償還」その他これと同一の意義を有する文字（拒絶証書作成免除文句）を手形上に（補箋では不可）記載し、かつ記載者が署名しなければならない（手四六条一項）。統一為替手形用紙の表面および各裏書欄には（統一約束手形用紙の各裏書欄にも）拒絶証書作成免除文句が印刷されているが、振出人または裏書人がこの不動文字を抹消しないで振出人または裏書人として署名欄に署名するときは、とくに反対に解すべき事情がないかぎり、その署名は拒絶証書作成免除の署名をも兼ねているものと認められる（大判昭一三・一・二九民集一七―一四参照）。手形外の書面または口頭による免除も無効ではないが、ただその当事者間において免除の効力を生ずるにとどまる。振出人による免除は振出の際にこれを記載することを要する。なお単に拒絶証書の作成免除の記載があるときは、引受および支払の両拒絶証書の作成を免除したものと解すべきである。

(4)　免除の効力　　拒絶証書作成免除の効力としては、手形所持人は拒絶証書なくして遡求権を行使することができる。ただし(ア)振出人が免除を記載した場合には、一切の署名者に対してその効力を生じ、すべての者が免除したこととなるが、裏書人・保証人等が免除したときは、その者に対してのみ免除の効力を生ずる（手四六条三項一文）。また(イ)免除は拒絶証書の作成を免除するのみで、法定期間内における手形の呈示および通知の義務までも免除するものではない。もっとも、この場合には、手形所持人は一応法定期間内に呈示をしたものと推定されるから、呈示のないことは償還義務者において立証しなければならない（手四六条二項）。なお(ウ)振出人が免除の記載をした場合には、何人に対しても拒絶証書なくして償還の請求をなしうるから、所持人が拒絶証書を作成せしめたときは、その費用はみずから負担しなければならないが、振出人以外の者が免除の記載をした場合には、他の者に対して遡求するにつきなお拒絶証書の作成を必要とするから、その作成の費用は免除者も負担しなければならない（手四六条三項・四八条一項三号）。

七　遡求の通知

(1)　総説　遡求権の行使は、振出人その他手形所持人の前者にとっては予期に反する異常な経過であるから、法は遡求権者をして前者に対し遡求原因の発生を通知させて、償還義務者が償還の準備をなすとともに、進んで償還をして償還金額の増大を防ぐことができるようにはかっている（手四五条）。これが遡求の通知の制度である。立法例としては、この通知を遡求の条件とする主義と後者の前者に対する義務とする主義とがあるが、手形法は後の主義によっている。遡求の通知義務は、手形所持人が手形関係上負担する唯一の義務であって、衡平の要求にもとづいて認められたものである。

(2)　通知を要する場合　引受拒絶および支払拒絶の場合（手四五条一項）のほか、規定はないが支払人の支払停止または強制執行の不奏効の場合にも、通知を要するものと解される（手四四条五項）。これに反して、支払人・引受人または引受呈示禁止手形の振出人の破産の場合には、破産の公告（破一四三条）があるから通知を必要としない。

(3)　当事者　通知義務を負う者は、手形の最後の所持人および通知を受けた裏書人である。通知は手形所持人から各遡求義務者の直接の前者（無担保裏書人を除く）を経て順次振出人に至るのが原則であるが（逓次通知主義）、裏書人が宛所を記載せずまたはその記載が読みがたいときは、その者の直接の前者に通知すれば足りる（手四五条三項）。なお、所持人は自己の直接の前者のほか別に振出人に対しても通知することを要し（手四五条一項一文）、また上述のところにより振出人または裏書人に通知をなすべきときは、同一期間内に、その保証人にも同一の通知をしなければならない（手四五条二項）。

(4)　通知の時期　所持人は拒絶証書作成の日またはこれに次ぐ四取引日内に、裏書人は通知を受けた日またはこれに次ぐ二取引日内に、通知をなすことを要する（手四五条一項）。通知は右の期間内に到達することを要するとする説が少なくないが、むしろその期間内に通知を発すれば足りると解すべきである（手四五条五項参照）。そして通知が所定の期間内になされたことは義務者の方で立証責任を負うが、この期間内に通知をなす書面を郵便に付した場合には、その期間を遵守したものとみなされる（手四五条五項）。

(5)　通知の方法　通知の方法には別段の制限はなく、口頭によると書面によるとを問わない。他人、例えば執行官に委ねてもよい。単に手形を返付することによってなすこともできる（手四五条四項）。通知の内容は引受または支払の拒絶があったことを知らしめれば足りるが、各裏書人は後者たる通知者全員の名称および宛所を示さなければならない（手四五条一項）。

(6)　通知懈怠の効果　前述のように通知を遡求権行使の条件とする立法（英米）もあるが、わが手形法上は、通知を怠っても遡求権には影響はなく、通知を怠ったために生じた損害、例えば通知がなかったために償還が遅れて償還金額が増大したことによる損害のごときにつき、手形金額を限度とする損害賠償義務を負担することになるのみである（手四五条六項）。そして通知の懈怠によって損害を受ける者は必ずしも直接の前者のみに限らないから、右の損害賠償義務も損害を受けた前者全員に対して存するものと解しなければならない。

八　償還金額

遡求制度の本旨は、手形所持人をして満期に手形金額の支払を受けたのと同一の結果を得しめるにある。そのためには、引受または支払がないことにより所持人が受けたすべての損害を考慮すべき理であるが、かように各場合につき償還金額を個別的に定めることは、手形取引の円滑を害することとならざるをえない。それゆえ、法は償還金額をつぎのように一定している。

㈠　所持人が遡求する場合における償還金額

(1)　満期後における償還金額（手四八条）　(ア)引受または支払のなかった手形金額および利息の記載があるときはその利息、(イ)年六分の率による満期以後の利息（満期当日の利息を含む〈最判昭三五・一〇・二五民集一四―一二―二七七五〉、法定利息で遅延損害金ではない）。(ウ)拒絶証書作成の費用・通知の費用およびその他の費用。

(2)　満期前における償還金額　手形金額は本来満期に支払わるべきものであるから、満期前に償還を受ける手形所持人がその全額の償還を受けうるものとすれば、かえって不当に利得する結果となる。ゆえに、この場合にはその日から満期の日までの中間利息を控除すべきものとし、その利率は所持人の住所地における遡求の日の公定割引率、すなわち中央発券銀行、わが国では日本銀行の商業手形の割引率による（手四八条二項）。ただし利附手形については、償還日以後の利息の請求をなしえないのみで、中間利息の控除の問題は生じない。

㈡　再遡求の場合における償還金額（手四九条）

(ア)その支払った総金額、(イ)右の金額につき年六分の率によって計算した支払の日以後の利息、(ウ)その支出した費用。

㈢　償還金額の為替相場による増減

手形の支払地または遡求権利者の住所地と遡求義務者の住所地とが異なる場合には、両地間における貨幣価値の相違のため、上述の償還金額を受けたのみでは所持人は支払地で支払を受けたのと同一の結果をおさめえず、再遡求権者も十分の補償を受けえない場合を生ずる。それゆえ、現行法には直接の規定はないが（昭和九年以前の旧商四九一条参照）、かような場合には、償還金額は支払地または遡求権者の住所地から遡求義務者の住所地に宛てて振出す一覧払手形（戻手形）の相場によって定めうるものと解しなければならない（想像的手形主義）。遡求制度の本質ならびに後述の五二条の規定から推して、これを認めるにかたくないであろう。

九　償還の態様および方法

(一)　償還の態様

償還は償還金額の現実の支払のみならず、代物弁済・相殺等によってもなすことができる。現金支払の方法による場合にも必ずしも直接取立をなす必要はなく、手形に反対の記載がないかぎり、償還を求めようとする義務者を支払人とする新たな為替手形を振出し、これに本手形・拒絶証書および償還計算書を添えて割引を求め、直接償還を受けたのと同一の結果をおさめることもできる（手五二条一項）。この新手形を戻手形という。戻手形の支払は、その手形ならびに本手形および償還計算書と引換になされ、戻手形の支払により本手形の償還が行われたこととなる。戻手形の性質は法律上は通常の手形と異なるところがないが、その目的上つぎの要件を具備しなければならない。すなわち、振出人は遡求権者、支払人は遡求義務者、支払地は遡求義務者の住所地でかつ第三者方払となさず、満期は一覧払、振出地は本手形の支払地（所持人遡求の場合）または遡求者の住所地（再遡求の場合）であることを要し、また手形金額は償還金額のほかその戻手形の仲立料（割引手数料）および印紙税を加算した金額であって、さらにこの金額を本手形の支払地（所持人遡求の場合）または遡求者の住所地（再遡求の場合）から遡求義務者の住所地に宛てて振出す一覧払手形の相場により加減することができる（手五二条）。

㈡　一部償還

償還には手形の返還を要するから、遡求権者は一部償還を受けることを要しないが、受けても差支えない。

㈢　償還の方法

(1)　通常の場合　償還は手形・拒絶証書および受取を証する記載をした計算書（償還金額の計算を明らかにした書面）と引換になされる。手形の交付を要するのは償還者が二重に償還請求を受ける危険を防止し、かつ償還者をして引受人および前者に対し手形上の権利を行使せしめるためである。遡求義務者は償還請求をまつことを要せず、償還金額の増大を防ぐために、みずから進んで右の書類と引換に償還をすることができる（手五〇条一項）。交付されるべき手形は健全な手形であることを要し、例えば引受人に対する権利が時効にかかったのち、その手形によって遡求するようなことは許されない。償還をして手形を受戻した者は、これにより再び手形上の権利を取得するから、自己および後者の裏書を抹消して手形上の権利者としての形式的資格を整えることができる（手五〇条二項）。なお手形が滅失した場合において除権判決があったときは、その申立人のみならず、これに償還をした裏書人も遡求権を行使しうるものと解しなければならない（民訴七八五条参照）。

(2)　一部引受があった場合　この場合において、残額につき満期前の遡求があったときは、償還をなす者は所持人にその支払の旨を手形に記載させ、かつ受取証書・手形の証明謄本および拒絶証書を交付させることができる（手五一条）。

(3)　一部支払があった場合　一部支払があっても、手形は所持人の手中にあるから（手三九条三項）、償還の方法は通常の場合と同様である。

第七節　参　加

第一款　総　説

一　参加の意義

手形関係の目的である手形金額の支払が著しく不確実となりまたは現実に阻害されたときは、手形所持人は上述の遡求制度によって保護せられる。しかし、この制度は他の手形関係者にとってはその信用を毀損し、また緩慢な遡求手続の進行中に漸次償還金額が増大し、時には自己の前者が無資力となり再遡求の機会を失う等の不利益があるのを免れない。それゆえ、手形の引受拒絶もしくはこれに準ずべき場合または支払拒絶の場合には、第三者が手形関係に加入して引受または支払をなし、遡求権の行使を阻止することが認められている。これが参加の制度である。第三者が手形関係に加わり手形の信用を維持する点では手形保証に類似するが、保証が予防的なのに反して参加は善後処置的な点でこれと異なる。わが国では参加の制度は実際上ほとんど利用されていない。

二　参加の種類

参加には参加引受（栄誉引受）と参加支払（栄誉支払）とがある。前者は満期前における遡求を阻止するために第三者が支払人に代わってなす引受をいい、後者は満期前たると満期後たるを問わず、遡求を阻止するために第三者が支払人または引受人に代わってなす支払をいう。

三　参加の当事者

(1)　参加人　参加人たりうる者の資格には制限はなく、純然たる第三者のみならず、支払人またはすでに手形上の義務者たる振出人・裏書人等でも差支えない。ただし、引受人はその性質上参加人とはなりえない（手五五条三項）。また参加人は必ずしも支払地にある者たることを要しないが、支払地にあるかどうかによって参加の条件が異なる。

参加は、或いは手形の記載上参加人となるよう予定された者によってなされ、或いはそのほかの第三者によってなされることもある。前者を予備支払人という。振出人・裏書人または保証人は予備支払人を記載することができるが（手五五条一項）、支払人または引受人はその記載をすることはできない。参加人たりうる者はすべて予備支払人となることができる。支払人も同様である。支払人として引受または支払を拒絶しても、参加引受または参加支払をなすことがありうるからである。予備支払人は支払地内に住所を有する者であることを要しないが、支払地外に住所を有する者を予備支払人に指定しても、予備支払人の記載にもとづく特別の効果を生じないから（手五六条二項・六〇条一項）、多くはその目的を達しえない。予備支払人記載の効果は後に述べる。

(2)　被参加人　被参加人すなわちその者のために参加がなされる者は、遡求義務者である（手五五条二項）。すなわち、振出人・裏書人およびその保証人がこれである。引受人・支払人・無担保裏書人は被参加人となることはできない。

四　参加の通知

参加をしたときは、参加人は被参加人に対し二取引日内にその参加の通知をなすことを要する（手五五条四項一文）。右の期間の不遵守の場合において過失によって生じた損害があるときは、参加人は手形金額を超えない範囲内でその賠償の責に任ずる（手五五条四項二文）。

第二款　参加引受

一　参加引受の性質

参加引受とは、満期前の遡求を阻止するために、支払人以外の者が手形の支払をなすべきことを約する手形行為をいう。参加引受の法律上の性質に関しては、通常の引受の一種と見るべきかまたは償還義務の引受と見るべきかにつきかつては争いがあったが、現行法のもとでは後説を至当とすることはほとんど疑いを容れない。けだし、(1)参加引受人は被参加人と同一の義務を負うが（手五八条一項）、被参加人は遡求義務者に限られるから（手五五条二項）、参加引受人の義務もまた償還義務と認むべきであるのみならず、(2)参加引受人の義務は条件附であって、支払人が支払わない場合においてのみ支払の義務を負うにとどまること、(3)参加引受人は被参加人の後者に対してのみ義務を負うこと、(4)参加引受人は遡求権保全手続の欠缺により免責されること、(5)参加引受があっても、手形所持人は被参加人の前者に対しては依然として満期前の遡求をなすを妨げないこと、(6)参加引受人が支払をなすときは、被参加人およびその債務者に対して手形上の権利を取得すること等の点において、通常の引受とは著しく異なるからである。

二　参加引受の要件

参加引受は、手形所持人が満期前に遡求権を有する一切の場合になすことをうるのであって（手五六条一項）、それがなされるがためには、満期前の遡求原因が発生したこと（手五六条一項）、および拒絶証書作成免除の場合のほかは、その事実が引受拒絶証書（ただし、手形法四四条五項の場合には支払拒絶証書、同条六項の場合には破産決定書）によって確定されたことを要する。ただし引受の呈示を禁止された手形（手二三条二項）については、参加引受は認められない（手五六条一項）。

三　参加引受の許容

(1)　手形所持人は原則として参加引受を拒むことができる（手五六条三項）。けだし、所持人がその信用しない者の参加によって遡求権を失うのは不当だからである。ただし、支払地における予備支払人の記載がある場合には、その者の参加は拒みえないのみならず、所持人はまずその者に手形を呈示して参加引受を求めるのでなければ、予備支払人を記載した者およびその後者に対して満期前の遡求権を失う（手五六条二項）。予備支払人が数人あるときは、その全員に対して右の呈示をしなければならない。その呈示をなす期間は満期までであって、満期後は許されない（手五六条二項）。

(2)　参加引受をしようとする者が数人ある場合には、支払地における予備支払人が優先し、かかる予備支払人の間では最も多数の義務者を免責せしめる者が優先する（手六〇条一項・六三条三項参照）。もしこれに違反して参加引受をさせたときは、手形所持人は正順位の参加引受により義務を免るべかりし者に対して満期前の遡求権を失う（手五六条二項、三項）。これに反して、数人の支払地外における予備支払人および純然たる第三者の間においては、そのいずれに参加引受をさせるかは所持人の自由であるのみならず、そのすべての参加引受を拒否することも妨げない。もしこれを受諾するときは、被参加人およびその後者に対して有する満期前の遡求権を失う（手五六条三項）。

四　参加引受の方式

参加引受は手形自体になすことを要し、謄本または補箋になしてもその効力を生じない。通常の引受と異なり、必ず参加引受であることを示すことを要し、単なる署名のみをもってなすことはできない。かつ被参加人をも表示すべきであるが、この表示がなくとも無効ではなく、振出人のためになしたものとみなされる（手五七条）。なお参加引受もその性質上引受と同様単純でなければならないが、一部引受があった場合にはその残額に対する参加引受が認められる。

五　参加引受の効力

(1)　参加引受人の義務　　参加引受人は、手形所持人および被参加人の後者に対して、被参加人と同一の義務を負う（手五八条一項）。参加引受人の義務は、償還義務者としての義務にほかならないから、支払人が支払をしない場合における第二次的な義務であり、その支払うべき金額は被参加人の償還すべき金額と同額である。またその責任を問うためには、所持人は遡求権保全手続（手三八条・四三条・四四条一項、三項）を履践しなければならない。そして支払地における参加人により引受けられまたは支払地に住所を有する者が予備支払人として記載されているときは、所持人はこれらの者全員に手形を呈示し、かつ必要があるときは、拒絶証書を作らせることをうべき最後の日の翌日までに支払拒絶証書を作らせなければ、予備支払人を記載した者または被参加人およびその後者に対する権利を失い（手六〇条）、その結果参加人自身も免責されることとなる。なお被参加人の義務が実質的理由により無効な場合にも参加引受人の義務が影響を受けないことは、手形行為独立の原則上当然である。

(2)　被参加人およびその後者の免責　　参加引受があるときは、所持人は被参加人およびその後者に対して満期前の遡求権を失う（手五六条二項、三項）。これに反して、被参加人の前者に対しては依然として満期前の遡求をなすことを妨げない。

(3)　被参加人およびその前者の償還権　　被参加人の前者は参加引受があっても償還義務を免れないし、被参加人も満期前の償還義務は免れるが、参加引受人が後に参加支払をするときは、これに対して償還をしなければならない。それゆえ法は、被参加人およびその前者は、参加引受にかかわらず、みずから進んで償還金額を支払って手形を受戻すことができるものとしている（手五八条二項）。

(4)　参加引受人と被参加人の間の関係　参加引受人と被参加人との間には、参加引受によっては直接何ら手形上の関係を生じない。ただ手形外において、場合により委任または事務管理の関係を認めうるのみである。ただし、参加引受人が参加支払をしたときは、手形法六三条一項により被参加人およびその前者に対して手形上の権利を取得する。なお参加引受人の通知義務についてはすでに述べた（手五五条四項）。

第三款　参　加　支　払

一　参加支払の意義

参加支払とは、満期の前後を問わず遡求原因が発生した場合に、その遡求を阻止するために支払人以外の者のなす支払をいう（手五九条一項）。参加支払も支払ではあるが、本来の支払人が支払をしない場合に第二次的になされ、かつその結果は単に被参加人の後者の義務を消滅せしめるにとどまる点で、本来の支払と異なる。

二　参加支払の要件

参加支払は、所持人が満期または満期前に遡求権を有する一切の場合においてなすことができるが（手五九条一項）、そのためには、満期前または満期後の遡求原因が発生したこと、ならびに拒絶証書作成免除および破産（手四四条六項）の場合を除き、その事実が拒絶証書によって立証されることが必要である。

三　参加支払の許否

(1)　支払地における参加引受人があるかまたは支払地における予備支払人の記載がある場合　この場合には、

所持人はこれらの者の全員に手形を呈示し、かつ必要があるときは、拒絶証書を作らすことをうべき最後の日の翌日までに支払拒絶証書を作らしめることを要し、もし右の期間内に拒絶証書の作成がないときは、予備支払人を記載した者または被参加人およびその後の裏書人が義務を免れることは（手六〇条二項）、前述したとおりである。

(2)　上述のような参加引受人または予備支払人がない場合　この場合には、手形所持人は直ちに遡求することができる。しかし、もし参加支払をしようとする者があるときは、参加引受の場合と異なり、所持人はこれを拒むことをえないのであって、これを拒むときは、その参加支払により義務を免るべかりし者に対する遡求権を失う（手六一条）。その参加支払により義務を免るべかりし者という中に被参加人が包含されるかどうかは、多少の疑いがないではないが、いわゆる義務を免るべかりし者とは参加支払により利益を受くべかりし者の意に解して、これを肯定するのが正当であろう。

(3)　参加支払をなそうとする者が数人ある場合　この場合には、参加支払をしようとする者が参加引受人もしくは予備支払人であるかまたは純然たる第三者であるかを問わず、常に最も多数の者をして義務を免れしめる者が優先するのであって、事情を知りながら、これに違反して参加した者は義務を免るべかりし者に対する遡求権を失う（手六三条三項）。

四　参加支払の方式および金額

参加支払は、被参加人を表示して手形になした受取の記載によりこれを証することを要する（手六二条一項一文）。被参加人の表示がなくとも無効ではなく、この場合には支払は振出人のためになされたものとみなされる（手六二条一項二文）。そして手形は、拒絶証書を作らせたときはこれとともに、参加支払人に交付しなければならない（手六二条二項）。支払は拒絶証書を作らせることをうべき最後の日の翌日までになすことを要し、その金額は被参加人が支払をなすべき金額である（手五九条二項、三項）。所持人は参加支払人の一部支払を拒みうることはもちろんである（手五九条二項参照）。

五　参加支払の効力

(1)　所持人の権利の消滅　　参加支払により、所持人の手形上の権利は一切の手形債務者に対する関係において消滅する。

(2)　被参加人の後者の免責　　参加支払により、被参加人より後の裏書人はその義務を免れる（手六三条二項）。

(3)　参加支払人の権利取得　　参加支払人は、被参加人およびその前者ならびに引受人に対して手形上の権利を取得する。ただしさらに手形の裏書をすることはできない（手六三条一項）。右の権利取得は独立の取得であって、所持人の権利をそのまま承継するものではない。それゆえ、参加支払人は所持人または被参加人に対する抗弁の対抗を受けない。なお参加支払人が、手形外の基本関係において、被参加人に対し別に補償請求権を有することがあるのはいうまでもない。

第八節　複本および謄本

第一款　複　　本

一　複本の観念

複本とは、一個の手形関係を表彰するために発行された数通の手形をいう。その数通の手形はいずれも正本であって、原本と謄本の場合のように、その間に正副主従の別はない。しかし、複本の表彰する手形上の権利はただ一個にすぎないから、後述のように原則として、その一通の裏書により各通上の権利は移転し、一通の引受により各通の遡求権は消滅し、また一通に対する支払により他の各通もその効力を失う関係にある点で、全然独立した数通の手形とも異なる。

手形上の権利は手形証券と離れては利用することができないが、同一の手形上の権利につき数通の証券が発行されるならば、手形を遠隔の地とくに海外に送付する場合に途中における紛失等の危険にそなえることができ、また引受を求めるため手形を他地に送付する場合に、その期間中手形を流通せしめることができなくなる不便を免れることができる。複本の制度はかかる利便のために認められたものである。

二　複本の発行

複本は振出人が振出の際に作成交付しうることはもちろんであるが（手六四条一項）、まず一通にて振出された後、所持人が自己の費用をもって振出人に対し複本の交付を請求することもできる。ただし、振出人が一通限りで振出す旨を手形に記載したときは、このかぎりでない（手六四条三項）。所持人が振出人に対して複本の交付を請求するには、所持人は自己の直接の裏書人に対してその請求をなし、その裏書人は自己の裏書人に対して手続をなすことによってこれに協力し、順次振出人に及ぶべきであって、振出人が複本を作ったときは、受取人から順次裏書人を経て所持人に交付し、各裏書人は新たな複本に裏書を再記することを要するのである（手六四条三項）。複本の数には制限はないが、二通ないし三通が普通である。

三　複本の形式

複本は一個の同一の手形上の権利を表彰するものであるから、各通同一の内容を有し（手六四条一項）、かつ証券の文言（本文の意）中に番号をつけなければならない（手六四条二項一文）。各通が内容を異にしまたは番号を欠くときは、各通は各独立の手形とみなされる（手六四条二項二文）。ただし、取引の通念上手形の記載から同一内容のものと認めうるかぎり、必ずしも厳密に一致しなくとも、なお複本たることを妨げない。

四　複本の効力

複本は各通それぞれ手形としての効力を有するけれども、それは一個の法律関係について発行されたものであるから、その各通の表彰する手形上の権利はただ一個である。それゆえ、振出人および裏書人は数通の複本に署名しても一個の手形債務を負うにとどまり、所持人は数通の複本を所持していても取得する権利は一個にすぎない。またそのうちの一通の裏書により各通上の権利は移転し、一通の引受により各通の遡求権は消滅し、一通に対する支払によって各通はその効力を失うのである。複本上にとくに一通の支払が他の複本をも無効とする旨の記載、すなわちいわゆる破毀文句の記載がない場合でも同様である（手六五条一項）。ただし、当事者が複本の各通を独立の手形のごとくに取扱い、かつこれに対する第三者の信頼を保護すべき事情があるときは、この原則は破られる。すなわち、

(1)　支払人は、手形所持人から複本数通を呈示して引受を求められても、そのうちの一通に対して引受をすれば足り、その数通に引受をなすべきではない。もし数通に引受をした場合には、引受人は支払に当たりその数通を受戻しておかないかぎり、返還を受けないものについてその責任を免れない（手六五条一項但書）。もっとも、この規定は善意の所持人の保護を目的とするものであるから、悪意者に対しては、引受人は一通に対する支払によってその責任を免れる。

(2)　支払人が複本の一通に対してのみ引受をした場合でも、支払はその引受のある複本に対してなすべきが当然

であって、もし引受人が引受のない一通に対して支払をし、しかも引受のある複本を受戻しておかないときは、この引受ある複本についてなお責任を免れない。ただし、この責任も善意の所持人にのみ対するものであることは、上述のところと同様である。

(3)　複本の各通はその性質上同一人物に対してのみ裏書されるべきであるが、裏書人が数人に各別に裏書譲渡したときは、その裏書人およびその後の裏書人は、その署名のある各通で返還を受けないものについて責任を負う（手六五条二項）。すなわち、各裏書人はその裏書した一通により遡求義務を負い、他の一通の引受または支払があったことにより責任を免れない。これに反して、各別に裏書をした者の前者は、複本所持人中の任意の一人に対して償還をすればその責任を免れる。

五　引受のためにする複本の送付と遡求

引受のため複本の一通（送付複本）を送付した者は、他の各通（流通複本）にこの一通を保持する者（送付先）の名称を記載することを要し、かかる記載のある複本の正当な所持人は、送付複本の保持者に対してその返還を求めることができる。もし送付複本の保持者がその引渡を拒んだときは、所持人は拒絶証書により、(1)引受のため送付した一通が請求をしても引渡されなかったこと、(2)他の一通をもって引受または支払を受けることができなかった旨を証明するのでなければ、遡求権を行うことはできない（手六六条）。

第二款　謄　本

一　謄本の意義

謄本とは、手形原本を謄写したものである。謄本は複本のようにそれ自体手形としての効力を有するものではないから、振出人に限らず、手形所持人は何びとでも随意に作成することができる（手六七条一項）。その数にも制限はない。謄本は主として、原本により引受を求めている間に、これに裏書をして手形を流通せしめるために用いられる。謄本には裏書または保証をなすことができるが、引受または参加引受をなすことはできない。

二　謄本の形式

謄本には、裏書その他原本に記載した一切の事項を正確に再記し、かつ謄写の部分と謄本上に初めてなされた手形行為とを区別するために、その末尾を示すいわゆる境界文句（例えば「以上謄写」のごとき）を記載しなければならない（手六七条二項）。

三　謄本の効力

謄本は複本と異なりそれ自体は手形ではないから、これによって引受または支払を求めることはできない。手形上の権利を主張するには常に原本を必要とする。しかし謄本には、原本と同一の方法に従いかつ同一の効力をもって、裏書または保証をなすことができる（手六七条三項）。のみならず、謄本作成前になされた原本の最後の裏書の後に、「爾後裏書は謄本に為したるもののみ効力を有す」るとの文句その他これと同一の意義を有する文言が存するときは、爾後は謄本にのみ裏書をなすことができ、原本になしたその後の裏書は無効となる（手六八条三項）。

なお、謄本の所持人が引受を求めるため原本を他に送付した場合には、謄本にその原本の保持者すなわち送付先を記載しておくことを要する（手六八条一項）。その保持者は謄本の正当な所持人に対して原本を引渡すことを要し（手六八条一項二文）、保持者が原本の引渡を拒んだ場合には、謄本の所持人は拒絶証書により原本の返還を受けえない事実を証明して、謄本に裏書または保証をした者に対して遡求することができる（手六八条二項）。この場合には、支払人に対する引受または支払の呈示を要しないで遡求することができるが、謄本に署名した裏書人または保証人に対してのみ遡求することをうるにとどまる。なお謄本に原本送付先の記載がない場合にも、謄本の所持人が右の遡求をなしうるかどうかは疑問であるが、原本保持者を知りえたときはこれに対して原本の引渡を請求することができるが、原本の返還を受けえない旨を拒絶証書によって証明することができない以上、遡求をなしえないとするほかないであろう。

第九節　拒絶証書

一　緒　説

拒絶証書は、手形上の権利の行使または保全に必要な行為をしたこと、およびその結果を得なかったことを証明するための公正証書である。手形の主たる債務者である引受人およびその保証人以外の者に対して手形上の権利を行使するには、支払人に対して引受または支払の呈示をしたがその目的を達しなかったというような、一定の事実の存在を必要とする。かかる事実の立証はもちろん手形所持人の責任に属するが、もしその立証方法が厳格に一定されているならば、手形所持人は迅速にその権利を行使することができるし、手形債務者もその立証に信頼し安んじて債務を履行することができ、ひいて手形取引の安全が確保されるであろう。この目的に出たものが拒絶証書の制度にほかならない。

手形法中にも拒絶証書に関する若干の規定があるが（手四四条・五三条・五六条二項等）、しかしその作成に関する事項の定めは勅令に委任せられ（旧法はこれを商法手形編中に規定した、昭和九年以前の旧商五一五条以下）、これにもとづいて拒絶証書令（昭和八年勅令三一六号）がその詳細について定めている。

二　拒絶証書の性質

拒絶証書は、前述のように、手形上の権利の行使または保全に必要な行為をしたこと、およびその結果を得なかったことを証明するための要式の公正証書である。

(1)　拒絶証書が作成されるのは、手形上の権利の行使または保全に必要な行為をしたこと、およびその結果を得なかったことを確定する必要がある場合である。その各場合については手形法が定めている。すなわち、(ア)引受拒絶の場合（手四四条一項）、(イ)引受呈示の日附または引受日附の記載が拒絶された場合（手二五条二項・七八条二項）、(ウ)支払拒絶の場合（手四四条一項、三項、五項・五四条三項・七七条一項四号）、(エ)参加引受拒絶の場合（手五六条二項）、(オ)参加支払拒絶の場合（手六〇条一項、二項・七七条一項五号）、(カ)複本返還拒絶の場合（手六六条二項）、(キ)原本返還拒絶の場合（手六八条二項・七七条一項六号）が、これである。

(2)　拒絶証書は証明書であって、一定の事実の存在を前提とし、その事実を証明する手段にすぎない。したがって、新たに権利関係を設定するものでも、また特定の事実の存在を擬制するものでもなく、当事者は反証をあげて拒絶証書に記載された事実を争うことを妨げない。

(3)　拒絶証書は、法律によりその作成を命ぜられた場合における唯一の証拠方法である。したがって、他の方法をもってこれに代えまたはその足りない点を補うことは許されない。ただし、拒絶証書作成免除の場合（手四六条・七七条一項四号、小三九条二号、三号参照）はこの限りでない。

(4)　拒絶証書は要式の公正証書である。これは、厳格確実を期そうとする制度の目的からいって当然である。ただし、その要式性を余り厳格に解することは、かえって奸悪な債務者に義務免脱の口実を与えることとなって適当でない。それゆえ、少なくとも拒絶証書作成の目的に照して本質的と認められる部分の記載があるかぎり、その他の要件の欠缺または記載の不備は拒絶証書の効力を害しないものと解しなければならない。

三　拒絶証書の作成

㈠　作成者

拒絶証書は、公証人または執行官が委託者の委託によって作成する（拒絶証書令一条）。委託者は、手形上の権利を行使することをうる手形所持人またはその代理人である（引受拒絶証書の作成の委託は手形の単なる占有者でもなしうる〈手二一条参照〉）。拒絶証書は一定の事実を証明するために作成するものであるから、作成者はみずから経験したところによって拒絶証書を作ることを要し、委託者の陳述のみにもとづいて作成することはできない。それゆえ、委託を受けた公証人または執行官は、委託者と同行して委託者の請求に立会うか、またはみずから委託者に代わって手形を呈示したうえ、その目的を達しなかった事実を拒絶証書に記載しなければならない。したがって、公証人または執行官が拒絶証書作成の委託を受けたときは、委託者のために手形上の権利の行使または保全に必要な行為をなす権限を有するものと認められる。

㈡　作成の場所

拒絶証書は所定の請求をした場所で作るのを原則とするが、拒絶者の承諾があるときは、他の場所で作ることを妨げない。請求をなすべき場所が知れないときは、公証人または執行官はその地の官署または公署に問合せをすることを要し、それでもなお知れないときは、その官署もしくは公署または自己の役場もしくは勤務する裁判所において作ることができる（拒絶証書令七条）。

㈢　作成期間

拒絶証書の作成期間は、それぞれの拒絶証書について手形法に規定されている。これについてはすでに述べた。

拒絶証書は適法な権利の行使があったこと、およびその効果を得なかった事実を証明するものであるから、法令または慣習により取引時間の定めがあるときは、その取引時間内に権利行使をした場合でなければ、作成することはできない（商五二〇条）。

㈣　作成方法

(1)　作成用紙　拒絶証書の作成は手形または附箋によってなすのを原則とする。すなわち、手形の裏面に記載した事項に接続して作り、附箋による場合には公証人または執行官がその接目に契印をしなければならない（拒絶証書令三条）。手形の数通の複本または原本および謄本を呈示した場合にも、拒絶証書の作成は一通の複本もしくは原本または附箋によってなせば足りるが、他の複本または謄本にその旨を記載し、公証人または執行官が署名捺印することを要する（拒絶証書令四条）。以上の原則に対する例外として、㋐原本返還拒絶証書（手六八条二項・七七条一項）の作成は謄本または附箋によってなし（拒絶証書令五条一項）、また㋑引受の一部の拒絶による拒絶証書（手二六条二項）は、公証人または執行官が手形の謄本を作り、その謄本または附箋によって作成する（拒絶証書令五条二項、手五一条参照）。

(2)　通数　数人に対して請求をなしまたは同一人に対して数回の請求をする場合にも、一通の拒絶証書を作らしめれば足りる（拒絶証書令六条）。

(3)　記載事項　拒絶証書にはつぎの事項を記載し、公証人または執行官が署名捺印しなければならない（拒絶証書令二条）。ただしこれらの記載事項のうち、拒絶証書の目的に照して本質的な事項以外のものは、その記載がなくとも拒絶証書は無効とならないものと解すべきことは、すでに述べたとおりである（実際上は記載の欠陥が手形の記載により補足されることが多いであろう）。㋐拒絶者および被拒絶者の名称、㋑拒絶者に対する請求の趣旨および拒絶者がその請求に応じなかったこと、拒絶者に面会することができなかったこと、または請求をなすべき場所が知れなかったこと、(ウ)請求をなしまたはなすことができなかった地および年月日、(エ)拒絶証書作成の場所および年月日、(オ)法定の場所外で拒絶証書を作るときは、拒絶者がこれを承諾したこと、(カ)支払人が第二の呈示を請求したときは（手二四条一項）その旨（拒絶証書令二条二項）。

(4)　記載方法　拒絶証書の記載事項は、手形・複本・原本または謄本の裏面に記載した事項に接続して記載することを要する（拒絶証書令三条二項・四条三項・五条三項）。拒絶証書作成当時の手形の状態を明らかにするとともに、爾後における不正記入を防止しようとする趣旨である。

(5)　拒絶証書の謄本　公証人または執行官が拒絶証書を作ったときは、その謄本につぎの事項を記載して、その役場または勤務する裁判所に備えておかなければならない。(ア)為替手形（約束手形または小切手）であることおよびその番号があるときはその番号、(イ)金額、(ウ)振出人・支払人および支払を受けまたはこれを受ける者を指図する者の名称、(エ)振出の年月日および振出地、(オ)満期および支払地、(カ)支払のため指定された第三者、予備支払人または参加引受人があるときはその名称。拒絶証書が滅失した場合において利害関係人の請求があったときは、右の記載をした謄本によって謄本を作り、利害関係人に交付しなければならない。そしてこの謄本は原本と同一の効力を有する（拒絶証書令八条）。

第四章　約束手形

一　総　説

約束手形は、振出人が受取人その他証券の正当な所持人に対して、一定の金額を支払うべきことを約する金銭支払の約束証券である。約束手形にあっては、振出人がみずから支払をなすことを約するのであるから、振出人のほかに支払人なる者は存在せず、振出人が振出の当初から手形の主たる債務者たる地位を有している。したがって、約束手形振出の当初における当事者としては、振出人と受取人との二者があれば足り、支払委託証券たる為替手形において振出人および受取人のほかに支払人があることを要するのと異なる。いわば約束手形は引受のある自己宛為替手形に似ている。それゆえ、約束手形には引受の制度は存在しない。

右の点を除いては、約束手形と為替手形との間には大差はない。それゆえ、為替手形に関する規定を約束手形に準用するのが、大多数の立法例である。現行手形法もかかる立場に立って、約束手形については僅かに三ヶ条の特別規定をおくにとどまる。為替手形に関する規定を約束手形に準用するに当たっては、両手形の差異、ことに約束手形の振出人は初めから手形の主たる債務者であって、為替手形の振出人と引受人とを兼ねたような地位にあることを忘れてはならない。なおわが国の実際では、国内取引においては主として約束手形が利用され、為替手形が用いられることは少ない。それゆえ、近時の手形法に関する著述では、立法とは逆に、まず約束手形について説明をし、これを為替手形に及ぼすものが少なくない。

二　手形要件

約束手形にはつぎの事項を記載することを要する（手七五条）。この手形要件（必要的記載事項）および次項において述べる要件以外の記載事項については、大部分、すでに為替手形に関して述べたところがそのまま妥当する。それゆえ、以下においては約束手形についてとくに問題となる点に関してのみ述べることとする。

(1)　証券の文言中にその証券の作成に用いる語をもって記載する約束手形なることを示す文字（約束手形文句）

(2)　一定の金額を支払うべき旨の単純なる約束　約束手形は、振出人が受取人その他証券の正当な所持人に対して一定の金額を支払うべきことを約する証券であるから、その旨の記載が手形要件の中心である。利息文句（手五条）・支払金額に関する複数の記載（手六条）については、為替手形の規定が準用されている（手七七条二項）。

(3)　満期の表示　満期の種類に四種あること（手七七条一項二号）、満期の記載のない手形が一覧払のものとみなされること（手七六条二項）は、為替手形に同じ。ただ一覧後定期払手形については特別の規定がある（手七八条二項）。けだし、約束手形にあっては振出人が本来主たる債務者であって、ここには引受の制度がなく、したがって引受の呈示もないので、為替手形に関する規定（手二三条・三五条）をそのまま準用することはできないからである。すなわち、約束手形では所持人は法定の呈示期間内に（手二三条）振出人に一覧のため手形を呈示することを要し、その呈示があったときに振出人が手形に一覧した旨を記載して署名をすればその日、振出人が日附のある一覧の旨の記載を拒んだときは、拒絶証書によりこれを証明することを要し、その拒絶証書の日附から、一覧後の期間を計算する。そして所持人が右の手続を怠るときは、前者に対してその権利を失うが（手七八条二項・七七条一項・二五条二項・五三条）、主たる債務者たる振出人に対する関係においては権利を失うことなく、呈示期間の末日を標準として満期を計算する（手七七条一項二号・三五条二項）。

(4)　支払地の表示　支払地の記載がない場合には、特別の表示がないかぎり、振出地の記載によって補われ（手七六条三項）、振出地の記載もないときは、振出人の肩書地があれば、これによって補充される（同条四項）。

(5)　受取人の名称　約束手形でも、無記名式および選択無記名式の手形は認められない。受取人と振出人とが同一人たることをうるかどうかは（自己受約束手形・自己指図約束手形）、為替手形に関する三条を準用する旨の規定がないため疑問たるを免れない。或いは手形においても当事者の兼併が認められるのは法の規定がある場合に限られるとする理由により、或いは実際上認める必要のないことを理由として、これを否定的に解する学説もあるが、為替手形について三当事者の兼併を認めるのと同じ理由で（八六頁）、約束手形における振出人と受取人の兼併も肯定すべきものと考える。

(6)　振出の日および地の表示　振出地の記載がない場合に、振出人の名称に附記した地（肩書地）があれば、その地で振出したものとみなされる（手七六条四項）。振出日附は、日附後定期払手形にあっては満期を定めるため（手七七条一項二号・三三条一項三号・七八条二項）、一覧払および一覧後定期払手形にあっては呈示期間を定めるために（手七七条一項二号・三四条・七八条二項・二三条）必要であるが、確定日払手形にあっては、振出日の記載は手形関係上格別の意味をもたない。しかし、法がこれを手形要件としている以上、その記載を要しないものと解しえないことは、為替手形について述べたとおりである（八七頁）。ことに確定日払の約束手形において振出日の記載がなされないのは、手形のサイト（振出より満期までの期間）の長いのを隠蔽する目的に出ていることが少なくないことを考えると、振出日附の記載を欠く手形を有効と解することは、かかる不健全な手形の振出を助長することとなり、下請企業保護等の社会的見地からも妥当とはいえない。

(7)　振出人の署名

以上の手形要件に欠陥があるときは、とくにその補充が認められている場合のほかは（手七六条二項ないし四項）、手形は無効たるを免れない（手七六条一項）。

三　要件以外の記載事項

右の手形要件以外の事項で約束手形に記載されることのあるものに、手形法によって記載を認められた事項（有益的記載事項）とそうでない事項とがあり、さらに後者に、その記載のみが無効となるもの（無益的記載事項）と手形の効力を害するもの（有害的記載事項）とがあることは、為替手形におけると同様である。そのうち、手形法によって記載を認められた事項はつぎのとおりである。

(1)　振出人の名称の附記地（肩書地）　振出地の記載は手形要件であるが（手七五条六号）、手形に振出地の記載がない場合に、振出人の肩書地の記載があるときは、それが振出地とみなされること（手七六条四項）は、さきに述べたとおりである。

(2)　振出人の住所地　前述のとおり、一覧後定期払の約束手形にあっては、満期は手形所持人が振出人に対して手形を呈示した後手形記載の一定の期間を経過することによって到来するから、所持人はまず一覧のため手形を呈示をすることを要するが、その呈示は振出人の住所においてしなければならない。その場合、手形に振出人の住所地の記載があれば、これによって振出人の住所を求めることができるが、その記載がないときは、それができない。そこで法は、この場合には振出地が振出人の住所地とみなされ（手七六条三項）、振出地の記載もないときは、振出人の名称に附記した肩書地があれば、それが振出人の住所地とみなされるものとしている（同条四項）。

(3)　第三者方にて支払うべき旨（第三者方払文句）（手七七条二項・四条）

(4)　利息文句・利率または利息の起算日（手七七条二項・五条）

(5)　裏書禁止文句（手七七条一項一号・一一条二項）
(6)　支払呈示期間の伸縮（手七七条一項二号・三四条・七八条二項・二三条二項）
(7)　一覧払手形の支払呈示の禁止（手七七条一項二号・三四条二項）
(8)　標準たる暦（手七七条一項二号・三七条四項）
(9)　換算率または外国貨幣現実支払文句（手七七条一項二号・四一条二項、三項）
(10)　拒絶証書の作成免除（手七七条一項四号・四六条）　約束手形の振出人が拒絶証書作成免除の記載をした場合、その記載の効力については疑問があり、従来の判例はこれを無効とし（大判大一三・三・七民集三—九一）、学説にもこれに同調するものが少なくない（統一約束手形用紙の表面にも「拒絶証書不要」の文字は印刷されていない）。けだし、約束手形の振出人は、為替手形の振出人と異なり、手形の主たる債務者であって、拒絶証書がなくても支払をなすべき義務を負っているゆえ、その振出人が拒絶証書の作成免除をなしうるものと解することは、一見約束手形の性質に反し不合理と考えられるからである。しかし、振出人は手形の作成者であるから、拒絶証書の作成を要しない手形を作成しうるものと解しえないわけではなく、その作成免除の効力はすべての手形取得者に及ぶ利益があり、かつこの場合には振出人に対して適法な呈示があったとの推定がはたらくものと解されること（手七七条一項四号・四六条二項後段）などから考えると、約束手形にあっても、振出人による拒絶証書作成免除の記載の効力を認めてよいのではないかと思われる。

四　振出の性質および効力

約束手形の振出も手形なる証券を作成し、これを受取人に交付することによって成立する手形行為であって、これにより振出人は受取人その他手形の正当な所持人に対して満期において手形金額の支払をなすべき義務を負担する。それは、為替手形の引受と同様、手形債務の負担を目的とする単独行為であって、手形の交付によってその効力を生ずる。しかもその義務は、為替手形の引受人の義務に照応する絶対的義務であり（手七八条一項）、為替手形の振出人の義務のごとく手続の欠缺によって免れうるものでも、また振出人みずから免責文句を記載して免れうるものでもない（手九条二項参照）。振出人の義務負担は約束手形の振出に本質的なものであって、振出人が手形支払の責に任じない旨の免責文句を記載するときは、約束手形の本質に反して手形自体が無効となる。なお、約束手形の振出人は右のように手形の主たる債務者であって、遡求義務者ではない。したがって、その振出人に対しては為替手形の振出人の償還義務に関する規定の準用はなく、これに対しては支払拒絶の通知をなす必要がない。かように振出人は償還義務者ではないから、拒絶証書の作成免除をなすことをえないとする説が有力であるが、むしろ反対の見解がとられるべきであることは、前述のとおりである。

五　為替手形と異なる点

為替手形に関する規定は、約束手形の性質に反しないかぎり、原則としてこれに準用される（手七七条一項）。そして約束手形が為替手形と異なるところは、前述のごとく、為替手形は、振出人が支払人に対して、受取人その他手形の正当な所持人に一定の金額の支払を委託するものであるから、振出人のほかに支払人の存在を必要とするが、約束手形にあっては、振出人が初めから手形金額支払の主たる義務者として、あたかも為替手形の振出人と引受人とを兼ねたような地位にあるから、ここには支払人なるものはなく、また引受なるものもない点にある。その当然の結果として、法は為替手形に関する規定を約束手形に準用するに当たり、(1)引受、(2)引受拒絶による遡求、(3)参加引受、ならびに(4)複本に関する規定は、準用条文から除外している（手七七条）。このように引受拒絶による遡求は認められないが、しかし約束手形においても振出人の破産・支払の停止またはこれに対する強制執行の不奏効等の事実は生じうるから、これによる遡求は許されなければならない（昭和九年以前の旧商五二五条・四八〇条参照）。したがって、ここでも満期前の遡求が認められるものと解すべきであり、そうである以上、法律は準用していないが（手七七条一項五号）、約束手形についても満期前の遡求を阻止するための参加引受（手五八条一項）が認められるものと解しなければならない。ただし約束手形の性質上、振出人のための参加引受がありえないことはいうまでもない。なお、約束手形に複本の制度が認められないのは、それが主として引受を求めるために用いられるものであることと、振出人が複本を発行するときは、振出人は複本各通につき振出人として支払の義務を負わなければならないことによる。これに対して、謄本は約束手形についても認められている（手七七条一項六号）。

第二編　小切手法

小　切　手（雛　型）

小　切　手 ①

大阪市○○区⑨○○町○番地

株式会社　西 銀 行 大 阪 支 店 ⑩

金額

¥ 5 0, 0 0 0 ※ ②

上記の金額をこの小切手①と引替え③に

持参人④へお支払いください⑤

昭和 63 年 10 月 1 日 ⑥

振出地　　　　　　　　　振出人

大阪市⑦　　　　　　　　甲　野　太　郎⑧㊞

備　考

① 小切手文句（小一条一号）

② 小切手金額（小一条二号）

③ 受戻文句

④ 持参人払の記載（小五条一項三号）

⑤ 支払委託文句（小一条二号）

⑥ 振出日附（小一条五号）

⑦ 振出地（小一条五号）

⑧ 振出人の署名または記名捺印（小一条六号）

⑨ 支払人の肩書地（支払地）（小一条四号・二条二項）

⑩ 支払人（小一条三号・三条）

第一章　序　　論

一　小切手の意義

小切手は、振出人が支払人に宛てて、受取人その他証券の正当な所持人に対し、一定の金額の支払をなすべきことを委託する有価証券である。金銭支払の委託証券たる点では為替手形と同様であり、その法律的性質および形式もこれに酷似している。さきに手形の法律的性質として述べたところは小切手にもそのまま妥当するが、ただ小切手にあっては、手形と異なり、持参人払式（無記名式）および記名持参人払式（選択無記名式）のものが認められることを注意しなければならない。

二　小切手の経済的機能

右のごとく小切手は金銭支払の委託証券であって、その法律的性質および形式は為替手形と酷似しているが、その経済的機能は手形と大いに異なる。すなわち、手形が主として信用の用具であるに対して、小切手はもっぱら支払の用具として用いられ、金銭の代用物たる地位を有する。小切手は日常多くの金銭を支払う者が、みずから支払をする手数と危険とを避けるために、銀行に預金をしておき、現実に支払の必要を生ずるごとにその銀行をして代わって支払をなさしめる場合に用いられるのである。小切手も短期間における信用利用の用具として用いられえないではないが、信用証券たることはその本来の任務ではない。小切手が支払証券であるといわれるのはこのゆえである。為替手形と小切手との法的規制の相違も、多くはこの経済的機能の相違を反映するものにほかならない。

三　小切手の沿革

小切手は約束手形および為替手形とは全く異なる沿革を有し、現在の小切手は一三、四世紀の頃イギリス、ドイツ等において王侯・都市等がその会計官吏または債務者に宛てて発行した支払命令書から出ているといわれる。しかしながら、一般官庁または私人が銀行宛に支払指図をなし始めたのは一四世紀のイタリアにおいてであり、それがオランダを経てイギリスに入り、ここで発達したもののようである。イギリスにおいては商人が金銀貨幣を金細工業者に預け入れ、これに対して書面による金銭支払の委託をしたが、後に金細工業が発達して銀行となるに及び、銀行に対して支払委託書が発行されるようになった。そしてすでに一八世紀末には小切手交換所の制度も整備し、その小切手取引はひろく諸国の模範となった。

四　小切手法

(一)　諸国小切手法

小切手に関する立法には、為替手形と小切手との法律的形式の類似性にもとづき小切手を手形の一種とし、これを手形法中に規定するもの（一八八二年イギリス手形法、一八九六年アメリカ流通証券法、一九五二年アメリカ統一商法典）と、両者の沿革的・経済的特異性を重視して小切手を手形と別種の証券とし、手形とは別に商法典中に（一八八二年イタリア商法、一八八一年および一九一一年スイス債務法等）または独立の単行法をもって（一八六五年フランス小切手法、一九〇六年オーストリア小切手法、一九〇八年ドイツ小切手法）規定するものとがある。

(二)　小切手法統一運動

各国小切手法が区々たることにより、小切手の国際取引が阻害されることはいうまでもない。それゆえ、小切手法統一の必要はつとに認められ、その統一運動は手形法の統一運動と並んで行われた。そして一九一二年のヘーグ会議においては、手形法統一条約のほかに小切手法の統一についても討議せられ、三三箇条の統一小切手規則の可決をみた。第一次世界大戦の勃発により統一運動は一時頓挫するに至ったが、平和克復の後国際連盟経済委員会により手形法統一事業とともに小切手法統一事業がとりあげられ、ついに一九三一年二月から三月にわたりジュネーヴで開かれた小切手法統一会議において、(1)小切手に関し統一法を制定する条約並びに第一及び第二附属書、(2)小切手に関し法律の或る牴触を解決するための条約、(3)小切手についての印紙法に関する条約、なる三個の条約が成立した。

㈢　日本小切手法

わが国では、かつては小切手を手形の一種として商法手形編中に規定し（昭和九年以前の旧商五三〇条以下）、これに為替手形に関する規定の多数を準用していたが、前述の小切手法統一条約にもとづいて制定された現行小切手法は、手形法とは別の独立の単行法となっている。昭和八年法律第五七号をもって公布、昭和九年一月一日から新手形法とともに施行された。なおその附属法令として、拒絶証書令（昭和八年勅令三一六号）・小切手法の適用に付銀行と同視すべき人又は施設を定むる件（昭和八年勅令三二九号）・手形交換所指定の件（昭和八年司法省令二八号）がある。

上述のように、現在では小切手は手形とは別個の有価証券として独立の単行法をもって規定されているが、しかし内容的には小切手法の規定は手形法の規定と同一または類似のものが多数を占めており、両者は依然として密接な関係に立っている。いま小切手が手形と異なる主な点を挙げれば、つぎのとおりである。

(1)　小切手は支払の用具であるから、その支払がとくに確実でなければならない。そのために、小切手の支払人は銀行に限られ、振出人が小切手を振出すには、その銀行に小切手の支払に当てる資金を有し、かつ銀行との間に振出人の振出す小切手の支払は右の資金をもってする旨の小切手契約が存しなければならない（小三条・七一条）。

(2)　小切手は支払の用具であり、金銭の代用物というべきものであるから、持参人払式（無記名式）のものおよび記名持参人払式（選択無記名式）のものが認められ（小五条）、実際上も持参人払式で振出されることが多い。

(3)　右と同じ理由により、小切手は法律上当然の一覧払のものとされ、かつその呈示期間もきわめて短い（一〇日）（小二八条・二九条、手三四条）。もっとも、呈示期間を徒過すると、遡求はできなくなるが、通常はなお支払われるようになっている（小三二条二項）。

(4)　小切手は実際上持参人払式で振出されるのが普通であるから、盗難・遺失等により所持人や振出人のこうむる損失の危険を防止する必要が大きく、これに対処するために、線引の制度（小三七条・三八条）や振出人による支払委託の取消の制度（小三二条二項）が認められている。

(5)　小切手は金銭支払の代用物であるから、これについては簡易な支払拒絶の証明方法が認められ、支払拒絶証書のほか、小切手に記載した支払人の支払拒絶宣言や手形交換所の不渡宣言で足りるものとされている（小三九条）。

(6)　小切手は、手形のような信用証券ではなく、金銭支払の代用物であるから、その時効期間はきわめて短い（小五一条）。

(7)　右と同様の趣旨から、支払人が証券上絶対的な支払義務を負い、証券を信用証券化する引受の制度は小切手には認められなく（小四条）、したがって引受拒絶による遡求の制度もない。ただし、小切手の支払を確実にするため、引受を禁止した趣旨に反しない限度で、支払人による支払保証の制度が認められている（小五三条以下）。

(8)　主として引受の制度がないことと関連して、小切手には為替手形におけるような参加および謄本（主として引受に関して利用される）の制度（手五五条以下）は認められない。

第二章　総　論

一　小切手の法律的性質

小切手は為替手形と同様の金銭支払の委託証券であって、さきに手形の法律的性質として述べたところが小切手にもまたそのまま妥当する。すなわち、小切手は完全有価証券であり、かつ金銭債権的・設権的・要式的・文言的・抽象的証券である。そして単なる記名式の場合にも当然に裏書によって譲渡しうることも手形と同様であるが(小一四条)、ただ小切手には持参人払式および記名持参人払式のものが認められ(小五条)、むしろこれを本則とする点が手形と異なっている。

二　小切手行為

小切手上の法律関係の発生または変動の原因たる法律行為であって、小切手に署名することを欠くべからざる要件とするものが小切手行為である。これに振出・裏書・保証・支払保証の四種がある。為替手形におけるような引受および参加引受の制度は、小切手には認められない。

小切手行為については、手形行為に関して述べた諸法則がすべて適用せられる。

三　小切手上の権利

小切手上の権利についても、手形上の権利に関して述べたところが大体そのまま妥当する。ただ若干注意すべき点を述べれば、つぎのとおりである。

(1)　権利の取得　小切手にあっては持参人払式および記名持参人払式のものが認められ、かかる小切手上の権利は単なる証券の引渡によって譲渡されることを注意しなければならない。ただしその善意取得の法則（小二一条）は、手形におけると同様である（手一六条二項参照）。

(2)　権利の行使　手形におけると同様に、人的抗弁の制限が認められる（小二二条、手一七条参照）。

(3)　権利の消滅　小切手上の権利の消滅原因としての時効期間が、手形と異なる。すなわち、(ア)所持人の前者に対する遡求権および償還をした前者のその前者に対する遡求権については、いずれも六箇月とされ（小五一条、手七〇条二項参照）、(イ)支払保証をした支払人に対する権利については、呈示期間経過後一年とされている（小五八条）。また時効または手続の欠缺により権利が消滅した場合に利得償還請求権が認められることは、手形におけると同様であるが、その義務者には振出人および裏書人のほかに支払保証をした支払人がある（小七二条、手八五条参照）。

(4)　実質関係　原因関係については、手形に関して述べたところがそのまま妥当する。資金関係も小切手関係と全く分離せられていることは手形の場合と同様であるが、ただ支払証券としての小切手の支払を確保するために、法は資金関係について特別の規制をしていることを注意しなければならない（小三条・三二条・三三条）。これについては後に述べる（一九二頁）。

第三章　各　論

第一節　振　出

一　緒　説

小切手の振出は、小切手なる証券を作成して相手方に交付する行為である。その証券の材料・要件記載の方法などは手形について述べたのと異ならないが、実際上は、小切手は銀行と小切手契約（当座勘定取引契約）を締結した者が、その銀行から交付された小切手用紙を用いて作成するのが常であって、それ以外の小切手は皆無といってよい。なお、小切手は支払証券であって、その流通期間も法により短く限定されているから、印紙税の納付を必要としない（印紙税法二条別表第一参照）。

二　小切手要件（必要的記載事項）

小切手にはつぎの事項を記載することを要し（小一条）、その一つでも欠くときは、特別の規定により救済されないかぎり、小切手としての効力を有しない（小二条一項）。

(1)　小切手文句（小一条一号）　これは、為替手形文句について述べたのと同様である。

(2)　一定の金額を支払うべき旨の単純な委託（小一条二号）　小切手に記載した利息文句が効力を有しない点

（小七条、手五条参照）を除き、数個の金額の記載がある場合（小九条）その他はすべて為替手形について述べたのと同様である。

(3)　支払人の名称（小一条三号）　小切手の支払人たりうる者は、銀行に限る（小三条）。いわゆる「銀行」には法令により銀行と同視せられる人または施設を含み（小五九条）、銀行法による銀行のほか、相互銀行・信託銀行・日本銀行等はもとより、郵便局・信用金庫・信用協同組合・農林中央金庫・労働金庫等一定の金融機関がこれに属する（小五九条、昭和八年勅令三二九号）。この制限が認められたのは、小切手の支払を委託される者は実際上金融機関であるのを常とするのみならず、金融機関以外の者に宛てた小切手を認めるときは、支払につき種々の不便を生じ、ひいては小切手の信用を害するおそれがあるからである。しかし、この規定に違反して振出された小切手も無効ではなく、振出人が五千円以下の過料に処せられるのみである（小七一条）。したがって、振出人その他当該小切手に署名した者は、小切手上の責任を負わなければならない。

右のように小切手の支払人たりうる者は銀行に限るから、小切手の振出人は銀行の取引先であるのが普通であるが、銀行が取引先の依頼にもとづきみずから振出人となって小切手を振出す場合も少なくない（銀行振出小切手）。これに、銀行が取引先の依頼により送金のために振出す送金小切手と、銀行が自己を支払人として振出し、かつ振出店舗と支払店舗とが同一の自己宛小切手（預手とよばれる）とがある（小六条三項）。送金小切手も多くは銀行が自己を支払人とする自己宛小切手であって（他の銀行を支払人とすることもある）、銀行の本支店間またはその支店相互間においてひろく行われている。振出店舗と支払店舗が同一の自己宛小切手は、支払保証に代えて行われ、またギフト・チェックなどとしても利用されている。自己宛小切手は、銀行が取引先から小切手の額面と同額の資金を受入れ、これに基づいて小切手を振出すのであって、振出依頼人たる取引先と銀行との関係は売買類似の関係と解される。自己宛小切手は振出人および支払人ともに同一の銀行であり、通常その支払は確実なものとして現金と同様に取扱われているのであって、特段の事情がないかぎり、自己宛小切手による提供は債務の本旨に従った履行の提供と認められる（最判昭三七・九・二一民集一六―九―二〇四一）。

(4)　支払地の表示（小一条四号）　これを欠いても小切手は無効ではなく、まず支払人の名称に附記した地があれば、特別の表示がないかぎり、その附記地が支払地とみなされ（小二条二項一文）、附記地が数個あるとき、例えば数個の営業所の所在地の記載があるときは、初頭に記載された地が支払地となり（小二条二項二文）、さらに附記地がない場合でも、振出地が同時に支払地とみなされて（小二条三項）、小切手は無効とはならない。

(5)　振出の日および地の表示（小一条五号）　振出日附の記載は、支払呈示期間や時効期間の計算について意義を有し（小二九条四項・五一条一項）、振出地の記載は、支払呈示期間（小二九条・六八条）・複本（小四八条）・国際小切手法（小七四条・七九条但書）等に関係がある。振出日附が事実上振出行為のなされた日と一致する必要がないことは、為替手形におけると同様である。実際上、振出日附として将来の日を記載したいわゆる先日附小切手がしばしば行われているが、これについては所持人は振出日附よりも前に支払の呈示をなしうるものとされている（小二八条二項）。なお振出地も小切手要件であるが、その記載がない場合にも、振出人の名称に附記地があればそれが振出地とみなされて（小二条四項）、小切手は無効とはならない。

(6)　振出人の署名（小一条六号）　振出人は後述のように、支払人の許に資金を有する者でなければならない（小三条・七一条）。

三　要件以外の記載事項

㈠　小切手法により認められた事項（有益的記載事項）

上述の小切手要件のほか、とくに法によりその記載が認められている事項には、支払人または振出人の名称の附記地（小二条二項、四項）・受取人の表示（小五条・一四条）・第三者方にて支払うべき旨（小八条）・裏書禁止文句（小一四条二項）・換算率または外国通貨現実支払文句（小三六条二項、三項）・線引の記載（小三七条）・拒絶証書作成免除（小四二条）・複本の表示（小四八条）がある。このうち受取人の表示および第三者方払の記載については、つぎの点を注意しなければならない。

受取人の表示は、手形におけると異なり、小切手にあってはその要件ではない。しかしこれを記載すれば、その記載に応ずる法定の効果を生ずる。受取人の表示に関しては、(1)記名式にして「指図禁止」の文字またはこれと同一の意義を有する文言を記載したもの（裏書禁止小切手）・(2)記名式・(3)指図式・(4)持参人払式（無記名式）（「この小切手の持参人へ」の記載のあるもの）・(5)記名持参人払式（選択無記名式）（「甲殿又は持参人へ」の記載のあるもの）・(6)受取人の記載のないもの（単に「この小切手と引換に御支払い下さい」とのみあるもの）の六つの場合がある（小五条）。このうち記名式のものは、裏書禁止文句がないかぎり当然裏書性を有するから、法律上は指図式小切手と同一の効力を有し（小一四条一項）、また記名持参人払式のものおよび全然受取人の記載のないものは、持参人払式小切手とみなされる（小五条二項、三項）。持参人払式・記名持参人払式および受取人の記載のないものが認められることは、手形と異なるところであり、短期間のうちに決済されるべき支払証券たる小切手の性質に応ずるものである。なお自己指図小切手（小六条一項）および自己宛小切手（小六条三項）も認められる。自己指図小切手は、振出人がみずから当座預金を引出す場合に必要である。

第三者方払小切手における第三者は銀行でなければならない（小八条）。これは支払人を銀行に限るのと同一の趣旨に出ている。この規定に違反する第三者方払の記載は、その記載のみが無効である。またその第三者は支払地内に営業所を有しなければならない。第三者方払の記載をなしうる者は振出人のみであって、裏書人はもちろん支払人もその記載をなしえないものと解すべきである。第三者方払の記載は、支払銀行が支払地内に営業所を有しない場合、手形交換所に加盟している銀行以外の金融機関を支払人とする小切手を振出す場合等に、その実用が認められる。

(二)　記載しても小切手上の効力のない事項（無益的記載事項）

上述以外の事項は、小切手に記載しても小切手上格別の効力を生じない。例えば利息の約定（小七条）・振出人の無担保文句（小一二条）・満期の記載（小二八条一項）・予備支払人の記載・原因文句・資金文句・違約金の記載等がこれである。小切手は当然に一覧払であって、これに反する記載はすべてその効力を有しないことを注意しなければならない（詳しくは後述、二〇〇頁）。

(三)　小切手を無効とする事項（有害的記載事項）

これは手形について述べたのと同じ。

四　振出の性質および効力

小切手振出の法律上の性質（支払指図と解せられる）および効力は、ほぼ為替手形について述べたのと同様である。ただ小切手の振出人も振出により担保責任を負うが、小切手には引受がないから、振出人の担保責任は支払にのみ関し、これを担保しない旨の記載はすべてその記載がないものとみなされる点、を注意しなければならない（小一二条）。なお支払人が支払保証をしたときは、所持人はその支払人に対する権利者となるが、しかし振出人はこれにより支払担保義務を免れることはできない（小五六条）。

五　白地小切手

小切手についても白地小切手が認められる（小一三条）。白地小切手については、白地手形に関して述べたところが妥当する。振出日附白地の小切手の補充権は、五年の時効によって消滅するというのが最近の判例（最判昭三六・一一・二四民集一五―一〇―二五三六）の見解であるが、疑問である（九八頁参照）。

六　小切手資金

小切手は支払の用具であるが、それが真に支払の用具としての機能を発揮するためには、その支払が確実でなければならない。しかるに、小切手には引受の制度がなく（小四条）、小切手の主たる債務者なる者は存在しないから、小切手所持人の地位はかえって不確実たらざるをえない。それゆえ法は、引受を補う意味で、小切手の振出人と支払人との間の小切手外の関係をとりあげて、小切手を振出すためには振出人が支払人をしてその小切手の支払をなさしめうべき実質関係があることを要求している。すなわち、小切手の振出人と支払人たる銀行との間には、小切手資金および小切手契約が存在しなければならないのである（小三条）。

(1)　小切手を振出すには、支払人のもとに振出人の処分することをうる資金がなければならない。ここに資金というのは、振出人が自己の計算において支払人をして支払をなさしめうべき権利を有する金額であって（昭和九年以前の旧商五三六条）、当座預金契約・当座貸越契約等の形式において存するのが普通である。資金は小切手の振出の時ではなくして、その支払呈示の時に存することを要しかつこれをもって足りる（小三条）。

(2)　振出人が支払人をして、自己の資金から、その振出す小切手の支払をなさしめるがためには、単に資金があるのみでは足りない。そのほかに、小切手の振出に関する明示または黙示の契約があって、右の資金をもってその小切手の支払に当てる旨の約束がなされていなければならない。これを小切手契約という。実際上は、銀行とその取引先との間に当座預金契約または当座貸越契約が締結され、取引先はこの契約で定められた資金の範囲内で小切手を振出すのである。これらの当座預金契約・小切手契約などを一括して、当座勘定取引契約ともいう。当座預金は、預金者がその銀行を支払人とする小切手により処分しうべき預金であり、当座貸越契約は、振出人が当座預金の残高を越えて小切手を振出した場合にも、銀行が一定の限度額までは小切手の支払をなすことを約する契約である。この当座預金契約または当座貸越契約が締結されると、それに伴って黙示的に小切手契約が締結されたことになる。そして当座預金契約または当座貸越契約が締結されると、預金者は銀行に署名および印鑑を届出て銀行からその銀行専用の小切手帳の交付を受け、これを用いて小切手を振出し、銀行は届出のあった署名および印鑑と照合した上でその支払をするのである。小切手契約は、資金所有者が銀行に対して自己の振出す小切手の支払事務を委託する契約であって、その法律上の性質は委任と解される。これにより支払人たる銀行は、振出人の振出した小切手につき資金または貸越残高が存するかぎり支払をなす義務を負い、もし小切手の支払呈示の時に資金がないかまたは不足するときは（過振り（かぶ））、資金のない小切手であり、通常は支払拒絶により不渡となり、手形交換所規則の定めるところにより、不渡処分をすることとなる（実際には、銀行がその取引先の信用を傷つけるのを避けるため、過振り小切手の支払をすることもある）。右の銀行の小切手支払の義務は実質関係上の義務にすぎないから、これによって支払人たる銀行が小切手上の支払義務を負うものでないことを注意しなければならない。

なお、委託小切手すなわち小切手が第三者の計算において振出される場合（小六条二項）には、資金および小切手契約は支払人と第三者との間に存し、振出人は小切手を振出してその第三者の資金を処分しうべき権限を与えられておれば足りる。

(3)　上述のように小切手の振出には資金および小切手契約が存しなければならないが、これに反して振出された小切手も小切手としての効力を失うわけではなく（小三条但書）、ただ振出人が五千円以下の過料の制裁を受けるにとどまる（小七一条）。

第二節　譲　　渡

一　小切手の流通方法

小切手の流通方法は、小切手が記名式であるか、指図式であるか、持参人払式であるかによって異なり、必ずしも裏書の方法によるものではない。小切手法第二章にとくに「譲渡」なる標題が掲げられているのは、このゆえである（手形法第一編第二章参照）。

(1)　裏書禁止小切手（小一四条二項）　これは、指名債権譲渡の方式に従いかつその効力をもってのみ譲渡しうべきこと（小一四条二項）、裏書禁止手形（手一一条二項）について述べたのと全く同じ。

(2)　記名式または指図式小切手　手形と同様、小切手も法律上当然の指図証券であって、指図式のときはもとより記名式の場合でも、裏書によって譲渡することができる（小一四条一項）。

(3)　持参人払式小切手　これは譲渡の合意と小切手の引渡によって譲渡される。引渡は権利移転の成立要件であって、単なる対抗要件ではない。その場合善意取得（小二一条）・抗弁の切断（小二二条）が認められることは、手形の裏書譲渡の場合と同じ。ただし、期限後の譲渡の場合には、抗弁の切断や善意取得は認められない（小二四条参照）。なお持参人払式小切手は引渡によって譲渡されるから、本来裏書をしても無意味であるが、実際上はかかる小切手の裏書がしばしば行われる。それゆえ、法はかかる裏書人の署名に信頼する第三者を保護するために、持参人払式小切手に裏書をした裏書人は、遡求に関する規定に従い償還義務を負うものとして、裏書の担保的効力を認めている（小二〇条本文）。もっとも、これによりその小切手が指図式小切手に変ずるわけではなく（小二〇条但書）、したがって裏書後も小切手は引渡によって譲渡せられ、証券の占有者は裏書の連続を要しないで、証券の所持のみによって正当な権利者としての推定を受ける。すなわち、持参人払式小切手の裏書には担保的効力のみがあって、移転的および資格授与的効力はない。裏書人は遡求に関する規定によって責任を負うのであるから、前者後者の関係を明らかにしなければならないが、これはもっぱら事実上裏書をした時の前後によって決すべきである。数人の裏書人がある場合において、所持人に償還をした裏書人がさらに自己以前の裏書人に対して遡求しうるか否かは、疑いはあるが肯定して妨げないであろう。

二　小切手の裏書

小切手の裏書もその方式・効力等は大体において手形の裏書と同様である。それゆえ、以下にはその異なる点のみを掲げることとする。

(1)　小切手には謄本はなく、したがって謄本上の裏書は認められない（手六七条三項参照）。

(2)　戻裏書は手形におけると同様に認められているが（小一四条三項）、支払人のなす裏書のみは無効とされている（小一五条三項）。その理由は、小切手には引受の制度がないが、支払人の裏書を認めるときはその担保責任を生じ、引受禁止の趣旨（小四条）に反するというにある。これと関連して、支払人に対する裏書も、裏書としての効力を有せず、単に受取証書たる効力を有するにとどまる（小一五条五項本文）。したがって、署名者は裏書人としての担保責任を負わない。小切手の所持人は、単に支払受領の証拠としてのみ小切手の裏面に署名するという慣行を考慮したものであろう。しかし、支払人が数個の営業所を有する場合において、小切手の振宛てられた営業所以外の営業所に対してなされた裏書には、右の規定は適用されない（小一五条五項但書）。そうでないと、支払人たる銀行の甲営業所において乙営業所宛ての小切手を割引くことができない不都合を生ずるからである。この場合にも、裏書を受けた支払人がさらにその小切手の裏書をすることはできない（小一五条三項）。

(3)　小切手には参加の制度がないから、裏書人は裏書に当たり予備支払人の記載をすることはできない（手五五条一項参照）。

(4)　小切手には引受の制度がないから、裏書人の担保責任は支払にのみ関する（小一八条一項、手一五条一項参照）。

(5)　小切手には質入裏書（手一九条参照）の制度は認められない。小切手は流通期間が短く、その必要がないからである。

(6)　小切手において期限後裏書とは、拒絶証書もしくはこれと同一の効力を有する宣言の作成後の裏書または呈示期間経過後の裏書をいう（小二四条、手二〇条参照）。

第三節　保　証

小切手は支払証券であるから、これに保証の制度を認める必要があるかどうかは多少疑問であるが、小切手法は旧法と異なり小切手保証を認めた（小二五条ないし二七条）。その内容はほとんど為替手形におけると同様であって、ただ小切手の信用証券化を防ぐため引受を禁止する趣旨に即して、支払人は保証人たりえないものとしている点（小二五条二項）が異なるのみである。なお小切手保証とつぎに述べる支払保証とを混同してはならない。

第四節　支払保証

一　引受の禁止と支払保証

小切手は金銭支払の用具たる支払証券であって、手形のような信用証券ではない。それゆえ、常に一覧払のものとされ、かつその呈示期間も極めて短くされているから、為替手形におけるような引受の制度は認められない。これを認める必要がないのみならず、引受により支払人が絶対的義務を負うことは小切手を信用証券化することとなって、小切手の支払証券たる性質と相容れないからである。小切手になす引受の記載はその記載がないものとされているばかりでなく（小四条）、さらにこれが潜脱の手段となるおそれのある支払人による裏書（小一五条三項）および保証（小二五条二項）も禁止されている。

右のごとく小切手には引受の制度は認められないが、しかし支払人に小切手上支払の義務を負わせ、その流通の円滑を期することは実際上必要であって、わが国においても早くから米国の Certification の例にならい、支払人たる銀行が小切手面上に「支払保証」の記載をなす慣習が存した。その効力については議論があったが、判例は支払保証は小切手上の効力はないけれども、支払人は小切手外の関係において絶対的支払義務を負うものとした。現行小切手法は「各締約国は支払人が小切手に支払保証（Certification）、確認（Bestätigung）、査証（Visa）其の他之と同一の効力を有する宣言の記載を為すことを認め及び其の法律上の効果を定むるの権能を有す。但し斯る記載に引受たるの効力を認むることを得」ない旨を定める小切手法統一条約第二附属書第六条の留保を利用して、支払保証につき従来の慣習を顧慮して独自の規定をした。しかし最近の実際においては、支払保証をすると、小切手が支払われるまでの間に依頼人の信用状態が悪化した場合に、銀行がその危険を負担するおそれがあるなどの事情により、支払保証が行われることは少なく、これに代えて自己宛小切手（預手）が多く利用されている。

二　支払保証の意義

支払保証とは、小切手の支払人が、呈示期間内に小切手の呈示があったことを条件として、その支払をなすべきことを約する小切手行為である。支払保証は、支払人が小切手金額支払の義務を負担する行為たる点で為替手形の引受に似ているが、つぎの諸点でこれと異なっている。

(1)支払保証人の負担する義務は、引受人の義務のように絶対的な支払義務ではなく、呈示期間内に支払の呈示があったことを条件とする支払義務である（小五五条一項）。そして支払呈示期間内に支払の呈示をしたが、支払を拒絶されたときは、拒絶証書または支払拒絶の宣言（小三九条）により、その事実を証明するのでなければ、支払保証をした支払人に対する権利を行使することができない（小五五条一項、二項）。(2)為替手形の所持人は引受呈示の権能を有し、前者もまた引受の担保責任を負い、したがって引受がないときは所持人の前者に対する遡求権を生ずるが、小切手の所持人には支払保証を求める権能はなく、支払保証が拒絶されても前者に対する遡求権は生じない。(3)引受にあっては一部引受が認められるが（手二六条一項）、小切手金額の一部の支払保証は認められない。(4)引受人の義務の時効期間は三年であるが、支払保証人の義務は一年の時効に服する。

なお支払保証は、(1)支払人が支払人として小切手金額支払の義務を負担する行為であって、保証のごとく何びとでもなしうる性質のものでないこと、(2)保証は形式上主たる債務の存在を前提とするが、支払保証人は本来の義務者であって、その支払により小切手は消滅に帰し、保証人による支払の場合のような遡求の問題を生じないこと、などの点において小切手保証とも区別される。

三　支払保証の方式

支払保証は、小切手の表面に「支払保証」その他支払をなす旨の文字を記載し、日附を附して支払人が署名することによってなされる（小五三条二項）。支払保証は単純であることを要し、支払保証により小切手の記載事項に変更を加えても、すべてその変更の記載はないものとみなされる（小五四条）。支払保証は振出人・裏書人・所持人等の請求によってなされうるが、実際上は振出人が請求するのを常とする。

四　支払保証の効力

(1)　支払保証人の義務　　支払保証をした支払人は、すべての小切手所持人に対して支払をなす義務を負う。この義務は第一次的のもので他人の不払を条件とするものではないが、しかし引受人の義務のように絶対的なものではなく、呈示期間内に支払の呈示があったことを条件とする（小五五条一項）。それゆえ、所持人が呈示期間経過後に支払保証人の責任を問うには、呈示期間内に適法の呈示（不可抗力の場合については、小五七条・四七条参照）をし、かつその支払がなかったことを拒絶証書またはこれと同一の効力を有する宣言によって証明しなければならない（小五五条二項、支払保証には拒絶証書作成免除の制度はない）。この点で支払保証人の義務は最終の償還義務者の義務に類似する。支払保証人の義務は小切手上の義務であって、小切手外の一般私法上の義務ではない。

支払保証人の支払うべき金額は本来は小切手金額であるが、支払拒絶があったため所持人が権利保全手続を行った場合には、償還義務者の支払うべき金額（小四四条・四五条）と同様である（小五五条三項）。

支払保証人に対する小切手上の権利は、一年の時効によって消滅する（小五八条）。

(2)　他の義務者に及ぼす効力　　支払保証があっても、所持人としては支払を受けたわけではないから、振出人その他の小切手上の義務者はその義務を免れない（小五六条）。これらの者と支払保証人とは、所持人に対し合同して責任を負う（小四三条）。

第五節　支　払

一　小切手の一覧払性、先日附小切手

小切手は現金の代用物たる支払証券であるから、直ちに支払を受けうるものでなければならない。それゆえ、小切手は法律上当然に一覧払のものとされており、ここでは手形についていわれるような満期なるものは存在せず、これに反する一切の記載、例えば確定の支払期日の記載のごときは、その記載がないものとみなされる（小二八条一項）。

右の小切手の一覧払性と関連して問題となるのは、いわゆる先日附小切手である。先日附小切手とは、実際の振出の日よりも後の日を振出日附としている小切手であって、振出当時いまだ振出人の処分しうる資金は銀行にないが、小切手に振出日として記載した日までには資金の準備ができるというような場合に、実際上しばしば行われるところである。小切手要件としての振出日附は必ずしも実際の振出の日と一致することを要しないが、しかし先日附小切手を認めるときは、実質的には呈示期間の伸長を認めるのと同一の結果をきたし、小切手の信用証券化を誘致して、これを当然一覧払のものとする制度の趣旨と矛盾するのみならず、現在支払のための資金がなく、直ちに支払の呈示をされると不渡となるような場合に、先日附小切手を用いてこれを糊塗することができるのは、小切手法三条の趣旨にもそわない。それゆえ小切手法は、先日附小切手の振出を積極的に禁止はしないが、かかる小切手は振出日附の到来前にても支払の呈示をすることができ、その呈示のあった日に支払をなすべきものとして、でき

るだけ先日附小切手の効用を減殺するようにはかっている（小二八条二項）。したがって、所持人は振出日附の到来前でも支払の呈示をなし、支払を拒絶されたならば直ちに前者に対して遡求することができ、また振出日附前でもその小切手の裏書をなしうるものと解すべきである。そして四一条一項所定の期間は拒絶証書作成の日の翌日から、その作成免除があったときは呈示した日の翌日から起算される。もっとも、呈示期間または時効期間の計算は、小切手に振出日附として記載された日を標準とする（小二九条四項）。なお先日附小切手を振出す場合には、振出人と受取人との間に、振出日附前には支払の呈示をしない旨の合意のなされることが少なくないようである。この場合、当事者間においてこれを原因関係上の抗弁として主張しうるのは別として、かかる合意自体は小切手法二八条二項の趣旨に照らして一般的には無効と解すべきである。

二　支払呈示期間

(1)　小切手は支払証券であるから、その支払呈示期間は極めて短く、振出地および支払地間の距離によりつぎのように定められている。これらの期間の計算は、真実小切手が振出された日ではなくして、小切手に記載された振出日附を基準として行い（小二九条四項、この規定にいわゆる「起算日」は「初日」の意に解すべきである）、かつ初日は算入しない（小六一条）。すなわち、振出日附の翌日から計算するわけである。そしてその期間は手形におけると異なり（手三四条）、当事者が任意にこれを伸縮することはできなく、その記載は何らの効力を有しない。(ア)国内小切手──国内において振出しかつ国内において支払うべき小切手の呈示期間は一〇日である（小二九条一項）。(イ)外国小切手──振出地および支払地が同一洲にある小切手の呈示期間は原則として二〇日、異なる洲にあるときは原則として七〇日である（小二九条二項）。ただし、ヨーロッパの一国において振出し地中海沿岸の一国において支払うべき小切手およびその逆の小切手は、同一洲内において振出しかつ支払うべきものとみなされる（小二九条三項）。

(2)　所持人は上述の呈示期間内に支払の呈示をなすことを要し、これを怠るときは、前者に対する遡求権（小三九条）および支払保証をした支払人に対する権利を失う（小五五条）。ただし、呈示期間経過後も支払委託の取消がないかぎり、支払人は振出人の計算において支払をなすことができる（小三二条）。

三　支払呈示の場所

小切手の支払の呈示は、原則として支払人の営業所、第三者方払の小切手にあってはその第三者の営業所においてなすことを要する。ただし、手形交換所において呈示することができ（小三一条）、実際上は手形交換所に持出して決済されることが多い。

四　支払の方法

これについては、すべて為替手形に関して述べたところが妥当する。支払人のなす請求者の資格調査に関する三五条には手形法四〇条三項前段に相当する規定がないが、これは小切手の支払人が小切手上の義務者でないため、その責を免れるという表現が不適当なので規定しなかったのにとどまり、解釈上は為替手形の支払人が支払う場合と同様に解しなければならない。なお、持参人払式小切手またはこれと同視される小切手にあっては、小切手の所持により権利者たる形式的資格が具備されるから、支払人は請求者の実質的権利の有無や同一性について調査する義務を負わない。

五　支払委託の取消

小切手の振出により、支払人は振出人の計算においてその支払をなす権限を付与される。この授権は本来は支払がなされるまでは振出人において何時でも撤回しうべき理であり、ことに小切手の盗難・遺失等の場合にはこれを認めるのが便利であるが、しかしその結果は小切手の所持人の地位を著しく不安にし、ひいて小切手取引の円滑を害さざるをえない。それゆえ、上述の授権の撤回をいかに規制するかは立法上の難問である。小切手法は、ドイツの立法主義に従い、一方で呈示期間内における支払委託の取消を禁ずるとともに、他方で支払委託の取消がないかぎり、呈示期間経過後も支払人は振出人の計算において支払をなす権限を有するものとした（小三二条）。この規定にいわゆる支払委託の取消の法律上の性質については議論があり、それは小切手契約のもとになされる個々の小切手の振出についての支払委託関係を取消すことであって、小切手関係以外の資金関係上の問題であるとする見解が有力である。しかし、既述のごとく小切手の振出を支払指図と解する立場においては、支払委託の取消は小切手関係外の問題ではなくして、小切手の振出により支払人に与えられた振出人の資金からその小切手の支払をなす権限の撤回と解される。ただし、取消は振出人と支払人との間だけの関係であって、これにより所持人に対する関係において遡求権その他の小切手上の権利義務に影響を及ぼすものではない。なお自己宛小切手を失った場合、受取人から振出人たる銀行に対して支払差止の請求がなされるが、これは支払委託の取消ではなくして、単なる事故届の意味しか有しないものと解すべきである。けだし、自己宛小切手の振出人と受取人との間には、いわゆる資金関係は存在しないからである。したがって、右のような請求があっても、銀行は小切手の振出人としての責任を免れない。

(1)　呈示期間経過前における取消の禁止　　呈示期間経過前には、振出人は支払委託の取消をなすことができない（小三二条一項）、たとえ取消しても呈示期間経過後にその効力を生ずるにとどまる。したがって、呈示期間内に支払委託の取消があっても、支払人は支払をしてその結果を振出人の計算に帰せしめることができる。この規定は強行規定であって、反対の特約は許されない。しかし、支払人は小切手上の義務者ではなく、支払をなすかどうかはその自由であるから、支払人が無効な支払委託の取消にもとづいて支払を拒絶した場合にも、所持人は支払人による支払を強制する途はなく、前者に対して遡求するほかない。したがって小切手の盗難・遺失等の場合にも、所持人はその範囲において保護せられる。

(2)　呈示期間経過後における支払の可能　　呈示期間経過後は、振出人は任意に支払委託の取消をなすことができる。しかし、呈示期間の経過により当然に支払委託が消滅するわけではないのであって、とくにその取消がないかぎり、支払人は依然として振出人の計算において有効に支払をなすことができる（小三二条二項）。小切手の呈示期間は短いため徒過されやすいが、その場合にも、特定の法律関係を決済するために小切手を振出した振出人にとっては、小切手によって決済するのが便宜であって、通常その意思に合するからである。しかし、振出人が支払委託の取消をしないときは、呈示期間経過後も、支払人は支払をしてその結果を振出人の計算に帰せしめうるにとどまり、振出人に対して小切手支払の義務を負うものでないことはいうまでもない。

支払委託の取消の方法には制限はなく、書面によると口頭によるとを問わず、取消はその意思表示が支払人に到達した時からその効力を生ずる。

六　振出人の死亡または能力の喪失と小切手の効力

小切手を振出した後振出人が死亡しまたは能力を喪失しても、前述の支払委託の効力には影響がない。これに反する特約はその効力を有しない（小三三条）。

七　偽造または変造小切手の支払

支払人が偽造または変造（小切手金額の変造）小切手につき支払をした場合に、振出名義人と支払人のいずれがその損失を負担すべきであるか。偽造小切手または変造小切手にあっては、その小切手金額につき有効な支払委託がなく、したがって支払人は振出人の計算において支払をなす権限を有しないわけであり、支払人はその支払った結果を振出人の計算に帰せしめることはできないものといわざるをえない。しかし、振出人になんらかの帰責事由があるときは、小切手取引の性質上、振出人においてその損失を負担すべきである。そして今日、小切手取引の実際においては、小切手契約締結の際に、銀行は預金者にその銀行専用の小切手帳を交付するとともに預金者からその署名および印鑑を徴し、その小切手用紙を用い、届出の署名および印鑑をもって振出された小切手に対してのみ支払をなすこととなっているのであるから、この点の調査につき支払人たる銀行に過失がないかぎり、その支払による損失は振出人の負担に帰するものと解するのが合理的である。このことは、振出人が交付を受けた小切手帳および届出印鑑の保管につき相当の注意をなすべき立場にあることからも基礎づけられる。そして右の調査をなすにあたっては、銀行の事務担当者は社会通念上一般に金融機関たる銀行に期待される業務上相当の注意をもって慎重に事を行うことを要する（最判昭四六・六・一〇民集二五—四—四九二）。変造については必ずしも同様には論じられないが、変造の原因が振出人にあるような場合（変造しやすい文字を用いまたは変造しやすいような記載をした場合など）には、同様に解しなければならない。なお今日、銀行の当座勘定取引契約には、銀行が手形・小切手の印影を届出印鑑と相当の注意をもって照合し、相違ないとして取扱ったうえは、偽造・変造等によって生じた損害につき責に任じない旨の免責条項がおかれているが、これにより右に述べた銀行の注意義務が軽減されるものではない。

第六節　線引小切手

一　意　義

線引（せんびき）小切手または横線（おうせん）小切手とは、小切手の表面に二条の平行線を引いて、銀行または支払人の取引先に対してのみ支払いうるものとされた小切手をいう。線引小切手にあっては、支払は銀行または支払人たる銀行の取引先に対してのみなされのであるから、所持人がその支払を受けるには原則として銀行の手を経ることを要し、小切手の盗難・遺失等の場合に不正の所持人が支払を受ける危険を防ぐのに適している。小切手は持参人払式のものが常用せられ、紛失または盗難に当たり悪意の所持人に支払われる危険が多いところから、このような制度が認められたのである。なお線引小切手はイギリスに起源をもつ制度であるが、ドイツにおいては線引小切手に類似した制度として計算小切手、すなわち現金で支払をせず、振替・手形交換等の方法によってのみ決済される小切手が認められ、統一小切手法（三九条）もこれを採用した。しかし、わが小切手法は条約の留保にもとづいてこれを認めず（第二附属書一八条）、かつ外国で振出され日本で支払わるべき計算小切手は一般線引小切手と同様に取扱うべきものとした（小七四条）。

二　種類および方式

線引小切手にはつぎの二種がある（小三七条二項）。線引をなしうる者は振出人または所持人である（小三七条一項）。線引は、小切手の振出人または所持人が、支払人に対してその者のなす支払を受領しうる者の資格を制限する指図にほかならない。

(1)　一般線引小切手　これは、小切手の表面に二条の平行線を引き、その線内に何らの記載もなさないか、または「銀行」もしくはこれと同一意義を有する文字を記載したものをいう（小三七条二項、三項一文）。この一般線引小切手にあっては、支払人は銀行または支払人の取引先に対してのみ支払をなすことができる（小三八条一項）。

(2)　特定線引小切手　これは、小切手の表面に二条の平行線を引き、その線内に特定の銀行の名称を記載したものである（小三七条二項、三項二文）。この場合には、支払人は原則として被指定銀行に対してのみ支払をなすことができる（小三八条二項）。

三　線引の変更および抹消

普通の小切手を一般または特定線引小切手とし、一般線引小切手を特定線引小切手とすることはできるが（小三七条一項、四項一文）、これと逆の変更は許されない（小三七条四項二文）。また線引または被指定銀行の名称を抹消しても、抹消しないものとみなされる（小三七条五項）。すなわち、受領資格を厳格にする意味の変更は許されるが、これを緩和する意味の変更は許されない。無権利者がすでになされた記載を変更して、容易に支払を受けるのを防止する必要からいって、当然のことである。

四　効　力

(1)　一般線引の場合　一般線引の効力は、支払人が支払をなしうべき相手方を銀行または支払人の取引先に制限するにある（小三八条一項）。したがって、銀行または支払人の取引先以外の者が所持人であるときは、銀行に取立委任裏書をするなど、銀行の手を介しなければ支払を受けることができない。銀行のほかに支払人の取引先が加えられているのは、素性の明らかな取引先への支払を認めることは、何ら制度の趣旨に反しないのみならず、実際上も極めて便宜だからである。取引先の意義は必ずしも明らかではないが、支払人と現に取引関係のある者をいうものと解すべきであり、かつ制度の目的に徴してその取引関係は多少継続的なものでなければならない。取引の種類は当座取引に限らず、定期預金・普通預金、手形貸付・手形割引等の取引でも差支えないが、いずれにしても銀行にとって相手の素性の明らかな者でなければならない。したがって、同一銀行の他支店の取引先に対して支払をすることも差支えないと解すべきであろう。

(2)　特定線引の場合　特定線引の場合には、支払人は被指定銀行に対してのみ、また被指定銀行が支払人であるときは自己の取引先に対してのみ、支払をなすことができる（小三八条二項一文）。ただし、被指定銀行は他の銀行に取立委任をなすことができ（小三八条二項但書）、この場合には通常第二の特定線引をなすべきであるが（小三八条四項但書）、被指定銀行が取立委任裏書（小二三条）をしても差支えない。

(3)　数個の特定線引がある場合　小切手上に数個の特定線引がある場合には、支払人は支払をなすことができない（小三八条四項本文）。けだし、かかる小切手の支払を認めることは特定線引の趣旨に反し、不正の取得者によって悪用されるおそれがあるからである。ただし例外として、手形交換所における取立のために第二の線引をすることは妨げなく、その取立を委任された銀行に支払うことができる（小三八条四項但書）。これは、被指定銀行が手形交換所に加入していない場合にその小切手につき手形交換所における決済の途を開こうとする趣旨であって、この場合には第二の線引には手形交換による取立のためである旨を記載しなければならない。

(4)　線引小切手の取得に関する制限　線引小切手もその流通自体が格別制限されているわけではなく、通常の小切手と同様の方法で譲渡することができ、何びとでもこれを取得することができる。ただ線引制度の趣旨にもとづき、銀行は自己の取引先または他の銀行からのみ線引小切手を取得することができ、また銀行はこれらの者以外の者のために線引小切手の取立をなすことはできない（小三八条三項）。そうでなければ、線引小切手の不正の所持人も、その小切手を銀行に譲渡しまたは銀行にその取立を委任することにより、容易に小切手の支払を受けまたは受けたのと同一の目的を達しうるからである。

(5)　違反の効果　以上(1)ないし(4)に述べたところに違反した支払人または銀行は、これがために生じた損害につき小切手の金額に達するまで賠償の責に任ずる（小三八条五項）。この責任は無過失責任であって、支払銀行が小切手所持人が無権利者であることを知らないで支払った場合でも、右に述べたところに違反している以上、賠償の責を免れることはできない。

第七節　遡　求

遡求についても、大体において為替手形について述べたところが妥当する（小三九条以下）。それゆえ、以下では手形の場合との相違を列挙するにとどめる。

(1)　小切手における遡求原因は支払拒絶のみである。引受拒絶その他為替手形における満期前の遡求のような問題を生ずる余地はない。小切手には引受の制度がないから、引受拒絶による遡求を認めるに由なく、また小切手は一覧払のものであるから、支払人の破産・その支払停止またはこれに対する強制執行の不奏効を特別の遡求原因とする必要もないからである。

(2)　支払の呈示をしたが支払が拒絶されたことの証明方法としては、拒絶証書によりうることはもちろんであるが（小三九条一号・七〇条、拒絶証書令参照）、法律はそのほかなお簡易な方法として、小切手に呈示の日を表示して記載しかつ日附を附した支払人の宣言、および適法の時期に小切手を呈示したが、その支払がなかった旨を証明しかつ日附を附した手形交換所の宣言（これは実際上ほとんど行われず、大部分銀行の支払拒絶宣言による）なるものを認めている（小三九条二号三号）。右の拒絶証書またはこれに代わる宣言のいずれによるかは手形所持人の選択により、そのいずれも呈示期間（小二九条）経過前に作らしめることを要するが（小四〇条一項）、右期間の末日に呈示があった場合には、これに次ぐ第一の取引日に作らしめることができる（小四〇条二項）。判例は、支払人の支払拒絶宣言は小切手上になすことを要し、補箋になしたものは無効としているが（大判昭一二・二・一三民集一六―一一二）、かように厳格に解する理由があるか疑わしい（ただ小三九条二号は「小切手に」としている、小切手の裏面になされた拒絶宣言の有効なことについては、最判昭三二・九・二八民集一〇―九―一二二一）。なお不可抗力により小切手の呈示または拒絶証書もしくはこれに代わる宣言の作成が妨げられた場合には、その期間の伸長が認められるが、権利保全手続を免除されるための期間が手形の場合よりも短く一五日である（小四七条、手五四条作照）。

(3)　償還金額には利息の約定にもとづく利息は加算されず（小七条・四四条、手四八条一号参照）、また遡求金額たる法定利息の起算点は呈示の日とされている（小四四条二号）。

(4)　戻手形の制度（手五二条）は、実際上その必要がないから小切手については認められない。

(5)　所持人の前者に対する遡求権の時効も、償還をした前者の再遡求権の時効と同様、その時効期間は六箇月である（小五一条、手七〇条二項、三項参照）。

(6)　なお小切手には引受がないから、引受拒絶の通知・引受拒絶証書の作成免除・満期前の遡求の場合の償還金額・一部引受の場合の遡求に関する手形法の規定に相当する規定を欠くことはいうまでもない。

第八節　参加その他

一　参　　加

小切手には為替手形におけると異なり、参加引受はもちろん参加支払の制度もない。

二　複　　本

小切手には引受の制度はないが、振出地と支払地とが遠隔な場合には送付の途中に小切手の紛失を生ずる危険がある。それゆえ小切手法は、(1)一国において振出し、他国または振出国の海外領土で支払うべき小切手・その逆の小切手などのように、振出地と支払地とがきわめて遠隔なこと、および(2)持参人払式のものでないことを条件として、小切手の複本を認めた（小四八条）。持参人払式のものについて複本を認めないのは、その各通が別々に処分された場合、その処分をした者を知りえないからである。複本に関する規定は大体において手形法の規定（手六四条以下）と同様であるが、ただ所持人に複本の交付請求権を認めない点が、これと異なっている。

三　謄　本

小切手には謄本の制度は認められない。小切手の流通期間は極めて短いから、実際上その必要がないからである。

四　利得償還請求権

小切手の利得償還請求権は、手形の場合（手八五条）とほぼ同様であるが（小七二条）、義務者に引受人の代わりに支払保証をした支払人が含まれる点が異なる。なお、小切手の所持人がその小切手を盗取された場合にも、振出人に利得が存するかぎり、被盗取者が時効による失権当時その小切手を現実に所持せず、除権判決を得ていなかったとしても、その一事により直ちに利得償還請求権の取得を否定しえないとするのが判例であるが（最判昭三四・六・九民集一三―六―六六四）、手形について述べたと同様（六三頁）、是認すべきである。

五　そ　の　他

以上のほか、拒絶証書（小七〇条）、期日・期間（小六〇条ないし六二条、手七二条ないし七四条）、休日（小七五条、手八七条）等に関しては、為替手形について述べたのと同様である。

第三編　国際手形法および小切手法

一　緒　説

手形および小切手は国際取引決済の用具として世界的に流通するから、これに関する法律関係についてはしばしば渉外問題を生ずる。この場合、各国の手形法および小切手法が同一であるならば、いずれの国の法律によっても同様であって、多く問題を生じないが（しかしなお各国裁判所における法律解釈の不統一の問題が残るが）、そうでないかぎり、事案につきいずれの国の法律を適用すべきかの疑問を生ずる。国際手形法および小切手法は手形または小切手に関するかかる法律の牴触を解決するための法規であって、国際私法の一部門をなすものである。

手形法および小切手法統一条約の成立した今日でも、条約加入国と非加入国との間に法律の牴触を生ずるのはもとより、加入国相互の間においても、条約の保留にもとづきまたは条約に規定のない事項に関し、各国が統一法と異なる自由な立法をしていることが少なくなく、さらに統一法に関する各国の解釈も必ずしも一致するとは限らないから、手形および小切手に関する各国法規の牴触の可能性が残されている。それゆえ、右の手形および小切手に関する実質法の統一条約と同時に、別に各国の法律の牴触を解決するための条約が締結されたのであって、わが手形法八八条ないし九四条および小切手法七六条ないし八一条の規定は、この条約にもとづいて制定せられた国際私法的規定にほかならない。以下これらの規定につき略述する。しかしこの条約にもとづく手形法および小切手法の規定は、法律の牴触に関するすべての事項を尽しているわけではないから、これに規定のない事項については法例の規定が適用される。なお現在、国際連合国際商取法委員会において、もっぱら国際的支払取引において利用される手形および小切手に適用される手形法・小切手法草案の作成が進められていることは、先に述べたとおりである。

二　行為能力

(1)　手形行為能力および小切手行為能力は原則として本国法によって定める（手八八条一項、小七六条一項、法例三条一項参照）。ただし、その本国法が他国の法律によることを定めるときは、その他国の法律による（反致主義、手八八条一項、小七六条一項）。

(2)　右の原則に対する例外として、本国法によれば無能力者たるときでも行為地法によれば能力者であるときは、これを能力者とする（手八八条二項、小七六条二項）。

(3)　なお、小切手の支払人たる資格（消極的小切手能力）は支払地法によって決せられるが、支払地法によって資格のない者を支払人としたため小切手が無効な場合にも、かかる規定のない他の国においてその小切手になした署名から生ずる債務の効力には影響がない（小七七条）。

三　行為の方式

手形行為または小切手行為の方式は、「場所は行為を支配する」という国際私法の原則に従い、

(1)　原則として行為地法によって定める（手八九条一項、小七八条一項）。いわゆる行為地とは手形または小切手上に振出地・裏書地等として記載せられた場所ではなくして（記載地は行為地としての一応の推定を生ずるのみ）、真実署名（交付ではない）のなされた地をいう。そして右の原則は一般の法律行為におけると異なり（法例七条参照）、当事者の意思をもって動かすことを許されない。

(2)　例外として、(ア)手形または小切手上の行為がその行為地法によれば方式を具備しないため無効な場合でも、後の行為の行為地法によれば適式なときは、後の行為は前の行為の無効によってその効力を妨げられない（手八九条二項、小七八条二項）。本来ならば、前の行為が形式上無効なときは、後の行為は手形行為独立の原則によっても有効となりえない理であるが、法は外国法に通じない内国人を保護しようとしてこの規定を設けたのである。(イ)日本人が外国においてなした手形上または小切手上の行為が日本の法律に規定する方式に適合するかぎり、その外国

法によれば無効な場合でも、その行為は他の日本人に対してその効力を有する（手八九条三項、小七八条三項）。この場合、その日本人が当該手形行為により手形を取得したことは必要でない。(ウ)なお小切手については、その行為が行為地法の定める方式を具備しないときでも、支払地法によって適式なときは有効とされる（小七八条一項但書）。支払人が、小切手が振出地法によって要件を具備するかどうかを調査することを要しないで、支払をすることができるようにして、小切手の支払を迅速確実ならしめようとする趣旨である。

四　行為の効力

ここに行為の効力とは、手形行為または小切手行為の成立または効力の要件、手形行為または小切手行為にもとづいて生ずる権利義務の内容・範囲・行使の条件または消滅をいう。それが意思表示上のものであると直接法律の規定によるものであるとを問わない。かかる行為の効力の準拠法については、つぎの原則による。

(1)　手形の主たる義務者、すなわち為替手形の引受人および約束手形の振出人の手形行為の効力は、支払地法によって定める（手九〇条一項）。同様に一部引受および一部支払の許否も支払地法によって定める（手九二条）。

(2)　その他の手形義務者およびすべての小切手義務者の行為の効力は、行為地法によって定める（手九〇条二項本文、小七九条）。とくに支払地法による事項は小切手に関しては小切手法八〇条に列挙されている。

五　遡求権行使の期間

遡求権行使の期間はすべての行為者につき、手形または小切手の振出地の法律によって定める（手九〇条二項但書、小七九条但書）。

六　権利の行使または保全のための行為の方式

(1)　拒絶証書の方式および作成期間その他手形または小切手上の権利の行使または保全に必要な行為の方式は、

行為地法によって定める（手九三条、小八一条）。

(2)　手形または小切手の喪失もしくは盗難の場合になすべき手続は、支払地法によって定める（手九四条、小八〇条八号）。

七　資金関係

為替手形の所持人が証券振出の原因たる債権、すなわちいわゆる資金上の権利を取得するかどうかは、振出地法によって定める（手九一条、なお小八〇条六号参照）。

主要文献

伊沢孝平　手形法・小切手法（昭和二四年、有斐閣）

石井照久著・鴻常夫増補　手形法・小切手法（商法Ⅳ）（昭和五〇年、勁草書房）

上柳克郎・北沢正啓・鴻常夫・竹内昭夫編　手形法・小切手法　商法講義(4)（昭和五三年、有斐閣）

大隅健一郎・河本一郎　注釈手形法・小切手法（昭和五二年、有斐閣）

大隅健一郎・戸田修三・河本一郎編　判例コンメンタール　商法Ⅱ（手形法・小切手法）（昭和五二年、三省堂）

大橋光雄　手形法（昭和一二年、弘文堂）

大橋光雄　新統一手形法論（上）（下）（昭和七、八年、有斐閣）

大森忠夫　新版手形法・小切手法講義（昭和五七年、三和書房）

河本一郎　約束手形法入門（第三版）（昭和五一年、有斐閣）

木内宜彦　手形法小切手法（第二版）企業法学Ⅲ（昭和五二年、勁草書房）

倉沢康一郎・斉藤武・田辺光政・木内宜彦　注釈手形法・小切手法（昭和五二年、有斐閣）

小橋一郎　新版手形法小切手法講義（昭和五七年、有信堂高文社）

坂井芳雄　裁判手形法（再増補）（昭和六三年、一粒社）

鈴木竹雄　手形法・小切手法（法律学全集、昭和三二年、有斐閣）

高窪利一　手形・小切手法通論（昭和五七年、三嶺書房）

高鳥正夫編　商法Ⅲ（手形法・小切手法）（昭和五八年、法学書院）

竹田省　手形法・小切手法（昭和三〇年、有斐閣）

田中耕太郎　手形法小切手法概論（四版訂正）（昭和一二年、有斐閣）

田中誠二・川村正幸　新版手形・小切手法（四全訂版）（昭和六三年、千倉書房）

田中誠二　手形・小切手法詳論（上・下）（昭和四三年、勁草書房）

田辺光政　最新手形法小切手法（昭和六二年、中央経済社）
田辺康平　現代手形法・小切手法（昭和六三年、文眞堂）
並木俊守　手形小切手法入門（昭和三八年、経済法令研究会）
納富義光　手形法・小切手法論（昭和五七年、有斐閣）
納富義光　手形法における基本理論（昭和一五年、有斐閣）
蓮井良憲・酒巻俊雄・志村治美編　講義手形法・小切手法（昭和五六年、青林書院）
長谷川雄一　手形法理の基本問題（昭和五一年、成文堂）
服部栄三　手形・小切手法（改訂版）（昭和五三年、商事法務研究会）
前田　庸　手形法・小切手法入門（昭和五八年、有斐閣）
升本喜兵衛　有価証券法（昭和二八年、評論社）
松本烝治　手形法（大正七年、中央大学）

*

鈴木竹雄・大隅健一郎編　手形法・小切手法講座（昭和三九-四〇年、有斐閣）
鈴木竹雄・大隅健一郎編　新商法演習3（昭和四九年、有斐閣）
鴻常夫・竹内昭夫編　手形小切手判例百選（第三版）（昭和五六年、有斐閣）

事項索引

あ 行

か 行

さ　行

た　行

な　行

は　行

ま　行

や　行

ら　行

著者略歴

1904年生
1928年　京都大学法学部卒業
1938年　京都大学教授
1966年　最高裁判所判事
現　在　京都大学名誉教授
　　　　神戸学院大学名誉教授
　　　　日本学士院会員

新版手形法小切手法講義　〈有斐閣ブックス〉

1989年3月20日　新版第1刷発行

著　者　大隅健一郎（おおすみけんいちろう）

発行者　江草忠敬

発行所　株式会社　有斐閣
〔101〕東京都千代田区神田神保町2-17
電話(03)264-1314〔編集〕
(03)265-6811〔営業〕
振替口座東京6-370番
京都支店〔606〕左京区田中門前町44

印　刷　共同印刷工業株式会社
製　本　株式会社吉田三誠堂製本所

新版 手形法小切手法講義（オンデマンド版）

2001年10月20日 発行

著　者　　大隅　健一郎
発行者　　江草　忠敬
発行所　　株式会社有斐閣
〒101-0051　東京都千代田区神田神保町2-17
TEL03(3264)1314（編集）　03(3265)6811（営業）
URL http://www.yuhikaku.co.jp/

印刷・製本　株式会社　デジタルパブリッシングサービス
〒162-0813　東京都新宿区東五軒町6-21
TEL03(5225)6061　FAX03(3266)9639

AA641

ISBN4-641-90166-X　　Printed in Japan